Über dieses Buch
schrieb Rolf Michaelis in der ›Zeit‹:

»... beide Erzählungen vibrierend vor einer aus Erkenntnissen der Psychoanalyse, den Traumerzählungen der Schwarzen Romantik, den Erfindungen des Surrealismus, aus Schatten des Vampirismus und Anklängen an Kriminal-Literatur gemischten, hochartifiziellen Spannung stammen aus dem literarischen Umkreis der ›Hypochonder‹. Nervöse Reizbarkeit des Stils dient in beiden Fällen dem Ausdruck gestörter Beziehungen von Menschen zur wirklichen Welt, zu anderen Menschen, zu sich selber ... Zu entdecken ist ein Erzähler, der für Empfindungen der Liebe Bilder von einer Eindringlichkeit findet, wie sie in zeitgenössischer Literatur ungewöhnlich sind.«

Der Autor

Botho Strauß, am 2. 12. 1944 in Naumburg/Saale geboren, studierte Germanistik, Theatergeschichte und Soziologie in Köln und München, von 1967–1970 Redakteur und Kritiker der Zeitschrift ›Theater heute‹, seit der Spielzeit 1970/71 dramaturgischer Mitarbeiter an der Schaubühne am Halleschen Ufer in Berlin. Veröffentlichungen u.a.: ›Die Hypochonder‹ (Theaterstück, 1971), ›Bekannte Gesichter, gemischte Gefühle‹ (Komödie, 1974), ›Schützenehre‹ (Erzählung, 1975), ›Trilogie des Wiedersehens‹ (Theaterstück, 1976), ›Die Widmung‹ (Erzählung, 1977), ›Groß und klein‹ (Szenen, 1978), ›Rumor‹ (Roman, 1980).

dtv
neue reihe
Literarische Beratung:
Horst Bienek

Botho Strauß:
Marlenes Schwester
Zwei Erzählungen

Deutscher
Taschenbuch
Verlag

Von Botho Strauß
sind im Deutschen Taschenbuch Verlag erschienen:
Die Widmung (6300)
Trilogie des Wiedersehens/
Groß und klein (6309)

Ungekürzte Ausgabe
1. Auflage September 1977
3. Auflage Oktober 1980: 13. bis 22. Tausend
Deutscher Taschenbuch Verlag GmbH & Co. KG,
München

ISBN 3-446-12011-4
Umschlaggestaltung: Celestino Piatti
Umschlagfoto: Ruth Walz, Berlin
Gesamtherstellung: C. H. Beck'sche Buchdruckerei,
Nördlingen
Printed in Germany · ISBN 3-423-06314-9

Inhalt

Marlenes Schwester

Ich wünschte, Sie liebten mich nur mit dem Teil Ihres Innern, der unempfindlich und fühllos ist.

Maurice Blanchot, ›Warten Vergessen‹

I

Das gütige Leben, dachte sie, das gütige Leben.
Sie versuchte es noch einmal.

Ein wenig später glitt sie, erschöpft, entmutigt, zurück in den Halbschlaf. Mein Schattengelände, ich döse und staune...

In diesen letzten Tagen war sie ein einziges Mal noch ausgegangen, hatte ihr Zimmer, den Hof verlassen und war bis an den Waldrand emporgestiegen. Den Kartoffelacker entlang, auf dem die Landarbeiter, ihre Gastgeber, in der vergangenen Woche geerntet hatten.

Ausgeraucht, der Erdboden ist ausgeraucht. Wie komisch, in der Erinnerung, die überschwenglichen Gefühle! Sie trat mit der Fußspitze auf einen vorgewölbten Stein und zog die heiße Augustluft tief ein. Die Schuhsohle ächzte wie unter einer Gewichtszunahme. Sie verfolgte den milde geschwungenen Lauf der Wiesen. Doch ihr Blick erfaßte kaum, was sie sah – er kehrte sich nicht ab von ihren Gedanken. Warum schmilzt denn der eiskalte Leichnam nicht in dieser glühenden Hitze? Nun, hier wird der Körper von der Trockenstarre befallen, wie die Wäsche im Wind.

Die Natur fiel ihr zur Last, sie ertrug sie nicht, sie wurde bedrängend wie eine Überfülle von Menschen. Diese Baummenschen, dachte sie, diese unzähligen Grasmenschen, diese Erdfurchenmenschen, diese Haselnußstrauchmenschen, diese tobenden Grillenmenschen ... ein böses Märchen.

Ins Dorfgasthaus war sie nicht mehr eingekehrt, seitdem eine Touristin am Nebentisch eine abschätzige Bemerkung über sie gemacht hatte. »Nur Verrückte tragen in geschlossenen Räumen eine dunkle Brille.« Im übrigen hatte sie jetzt kein Geld mehr, nicht einen Pfennig. Achtunddreißig Jahre alt, ehemals Deutschlehrerin, zuletzt wohnhaft in einer Landkommune in der Nähe von Aschaffenburg, vollkommen mittellos. Die jungen Landarbeiter hatten sie ohne Umstände aufgenommen und ihr ein kleines Zimmer im Nebentrakt des Bauernhauses eingerichtet. Sie lassen mich in Ruhe, sie lassen mir Zeit.

Sie bekam zu essen, wenn sie es wünschte.

Oder waren sie insgeheim doch ein wenig ungeduldig? Ob es nicht bald geschieht? Wenn es nur erst vorüber wäre – der Arzt, der Abtransport, das Zimmer gesäubert und für einige Zeit verschlossen.

Sie sollen mir um Himmels willen die Schuhe nicht ausziehen!

Häufig beklagte sie jetzt, daß ihr die Gewalttat nicht durch den Sinnenzauber einer Euphorie, wie er angeblich den natürlich Sterbenden zuteil wird, erleichtert würde. Von allen Qualen erlöst, so hieß es, und diesen Zustand hätte sie wirklich gern am eigenen Leib gespürt.

Für einen Augenblick das ganz andere Denken streifen, das erleuchtete Durcheinander, vielleicht, alles auf einmal, vor der genüglichen Abkehr.

Ich aber werde es mühsam haben, bis zuletzt. Und sie haßte nichts so sehr wie diese fahrigen, überreizten Gedächtniszustände, wenn ihr das Leben in tausend Fetzen um die Ohren flog. Wenn doch nur das Meer käme ...

Mir ist so übel, als hätte ich die Zigarettenasche des vergangenen Tages gegessen.

Will es dir nicht besser gehen? Marlene legte ihr die Hand auf die Stirn, stützte ihren Kopf, als sie erbrach. Marlene schöpfte Wasser aus der Quelle am Meer, sie trank aus Marlenes Händen. Marlenes gnädige Darreichung. Marlenes unerforschte Schönheit.

Im Halbtraum zog sie lange weiße Würmer wie Fäden aus dem Mund. Sie rissen ab und sie erbrach ein paar Pilze, ohne Qual.

Auch hatte sie einmal beim Reden das Gefühl, als kehre das unzerkaute Essen langsam in den Mund zurück, schöbe sich zwischen die Zähne. Sie hustete. Erbrechen, erbrechen, wie ein kleines Kind, ohne Qual und mit staunenden Augen. Das Böse fließt aus.

Den Tod wie ein Kind im Leibe nähren, großziehen, aber niemals herauslassen.

Sie lockt mich.

Die Brille stinkt, die Uhr stinkt, wirf sie weg!

Oft fühlte sich jetzt das Herausstülpen des Kots aus dem Darm an wie Wehen, wie Gebären. Wie ist denn Gebären? Eine Erfahrung nicht gemacht. Marlene bekommt jetzt vielleicht ein Kind, währenddessen ich hier krepiere. Liebe Marlene, schrieb sie auf einen Bogen Papier.

Wie? Liegt Staub auf dem Wasser?

Das Meer sieht sehr viel verläßlicher aus als die Erde, sagte Marlene, unermüdlich auf der Suche nach dem verschollenen Ausdruck für ein Gefühl, das älter war als die Menschheit. Offenbar fühlte sie sich im Wasser wirklich geschützt. In den ungezierten Bewegungen des Schwimmens und

Tauchens erholte sich der Körper von der unablässigen Strapaze, die das Gehen auf den Böden bereitete, das von ihr verfluchte Gehen, das, wie eine Schrift, sich in die Räume, Straßen und Landschaften zeichnet, für jeden Lümmel aufschlußreich, so unleserlich sie auch zu gehen versucht. Ein noch so ausgedehntes Bad konnte sie nicht ermatten. Trat sie endlich zurück aufs Land, dann begann sie sofort mit ihren nackten Gliedern zu zappeln und zu zucken. Sie spielte die Einarmige, die Schwangere, die Obeinige, die Schwindsüchtige. Sie machte Faxen ohne Unterbrechung. Sie verunstaltete die natürliche Ordnung ihres Körpers, sie veralberte die geläufigsten Wörter der Alltagssprache, erfand neue, unsinnige hinzu. »Jetzt gehen wir aber esseln.«

Marlene war damals Ende zwanzig, und ihr Übermut galt mir allein, mir, der Schwester. Sie lockt mich.

(»Sieh nur, die vielen, vielen Sterblinge, die da aus dem Boden wachsen.« – »Ja.« – »Wir beide aber wollen einen Fahrn ziehen.« – »Was?« – »Einen jungen Felsen großziehen!«)

Und das ist Michel, sagte Julien, indem er seinen Begleiter am Arm nahm und vorführte, du kennst ihn ja. Nein, sagte Marlenes Schwester und grüßte freundlich. Doch, es ist dieser Michel aus meiner Geschichte, die ich dir in Paris erzählt habe. Du hast sie doch nicht etwa vergessen? Michel ist der einzige, der mit heiler Haut davongekommen ist. Sie richtete sich auf, zu Tode erschrocken, und starrte Michel an. Das ist also das Ende, dachte sie, das Ende beginnt.

Ich muß unbedingt die Schuhe fest und unaufknüpfbar an meine Füße schnüren. Sie sollen mich nicht ausziehen. Die Kleider sollen in die Haut wachsen, wie eine Pflanze, bis man erstickt. Sie umfaßte mit beiden Händen ihre Brüste. Das also ist es gewesen? Wenig. Wenig. Wenig. Dafür hätte weiß Gott dies Körperding, dies ganze Leibwerk nicht so ausführlich aufgebaut werden müssen. Was gewesen ist, das bißchen, ist ohnehin nur im Kopf gewesen, in den Augen.

Eine Frau, die nicht gern mal ihre Brüste anfaßt, ist nicht gesund, so hatte ihre eitle Mutter sie belehrt, und kleine frivole Lachfalten waren dabei unter ihren niedergebrannten Augen entstanden.

Ein beunruhigendes Bild für Sekunden, im Vorübergehen an einem offenen Hotelfenster: eine leidgeprüfte Frau griff sich, während gerade ein schlanker Kerl in ihrem Leib herumwühlte, an die Stirn, als bereite ihr das alles lediglich Kopfschmerzen, sonst nichts, keine Lust und auch keine Verzweiflung.

»Das Gekörpere«, sagte Marlene und wiegte sich zur Seite, als müsse sie furchtbar lachen.

Eine Frau bringt sich um, gut. Aber eine Frau erschießt sich doch nicht, wo gibts denn sowas.

Sie roch sich dauernd.

Vom lieben S. erzählte man, daß er sich, als seine Schilddrüse in voller Krebsblüte stand, tagelang mit seiner Pistole im Stadtwald herumgetrieben habe und sie in zärtlichen Flüstergesprächen, wie eine Geliebte, umwarb. Und tatsächlich, sie erhörte ihn, sie gab ihm nach. Ihr dunkler, warmer Lauf schmiegte sich an seine Lippen und drang sanft in seine Mundhöhle. Dort richtete er sich stolz auf und entlud sich mit einem kurzen gewaltigen Stoß ins Hirn. Der tote S. soll, als man ihn fand, recht stillvergnügt ausgesehen haben – »ich bin sicher, daß ich keinen abstoßenden Anblick hinterlassen habe«.

Geträumt wie ich lese, lese, lese. Auf den Buchseiten aber entsteht ein gedämpftes Volksgemurmel. Seine gesammelte Leserschar spricht aus dem Roman und erörtert ihn flüsternd. Die ohrenbetäubende Unruhe der Zuschauer, die aus der gebannten Stille eines Schachturniers plötzlich hervorbricht, wenn der Titelverteidiger mit der winzigen lautlosen Verschiebung einer Holzfigur seine sensationelle Niederlage einleitet. »Internationale Geräusche«, dachte sie begeistert und wollte sich diese Bemerkung fest einprägen. Da sprach sie jemand von der Seite an. Der ältere Herr hob seinen großen grauen Hut vom Kopf und nannte seinen Namen – doch sie fragte ihn bestürzt: »Was heißt das? Was ist das für ein Ausdruck?« Dann glaubte sie, ihre eigene Stimme zu vernehmen. »Ich?« – sie fuhr zusammen und erwachte ... Ich bin Marlenes Schwester.

Sie versuchte es noch einmal.

(Wenn es nur ein kräftiger Schlag gegen den Kopf wäre, wodurch man wieder zu Sinnen käme ...)

2

Ihr Streit hatte die ganze Nacht gedauert. Morgens um acht Uhr waren sie am Ende ihrer Kräfte. Die Sonne hatte schon ihre erdrückende Hitzelast über die Stadt gewälzt, und jedes weitere Wort hätte der tobende Straßenlärm im Munde erstickt.

Der Weißwein, den sie über Nacht aus einer

großen Korbflasche getrunken hatten, schlug dumpf an die Schläfen. Die beiden Schwestern saßen krumm auf ihren Betten und verfielen in ein träges Nachdenken.

Sie hatten den Entschluß gefaßt, sich zu trennen. Die gemeinsame Sommerreise sollte auf dem Bahnhof in Nîmes abgebrochen werden. Marlene zwang ihre Schwester, in das feste Versprechen einzuwilligen, daß es zwischen ihnen in Zukunft keine Begegnungen, keine Briefe, keine Telefonate geben werde. Das Leben der Schwester neben dem ihren, in dieser schwirrenden Zwei-Personen-Wahn-Welt, so hatte sie gesagt, liefe unabänderlich auf die Unterdrückung, die Zerstörung ihrer eigenen, ohnehin schmächtigen Existenz hinaus. »So lieb du es auch meinst mit mir.«

Als sie auf die glänzende Straße traten, begannen die Gedanken in ihren Köpfen zu rasen. Sie waren plötzlich grellwach und überängstigt. Und doch schleppten sie sich schwerfällig über die Fahrbahn zum Taxistand.

Während der Autofahrt lehnte Marlene, die neben dem Fahrer saß, ihren Kopf zurück in die Nackenstütze. Ihre Schwester, hinter ihr auf dem Rücksitz, hatte sich vorgebeugt und die Stirn gegen das Polster der Nackenstütze gedrückt. In dieser Haltung verkörperten sie, ohne es zu wissen, ein letztes Bild von müder, naturergebener

Unzertrennlichkeit. Marlene legte ihren Kopf zur Seite und sagte mit leisem Zorn: »Mein Blut ist gekommen, zwei Tage zu früh!«

Während Marlene sich auf der Bahnhofstoilette zurechtmachte, riß ihre Schwester ihre beiden Koffer auf und vertauschte den Inhalt. So trug sie nun alle Kleidungsstücke und Gebrauchsartikel von Marlene bei sich.

Sie stieg in einen überfüllten Kurswagen nach Paris. Der Schaffner besorgte ihr einen Platz in einem Abteil, in dem sich die Reisenden nicht zu kennen schienen und also auch keine Unterhaltungen zu befürchten waren. Die Fenstervorhänge waren glücklicherweise zugezogen. Beim Anblick der vorüberlaufenden Landschaft hätte sie sich jetzt zweifellos erbrechen müssen. Alle sahen natürlich, wie abgekämpft sie war. Marlenes Schwester sehnte sich nach dem großen Schlaf, der unsichtbar macht. Sie fand jedoch nur einen flachen, nervösen Schlummer, aus dem sie aufschrak, als sie sich plötzlich laut schluchzen hörte. Zum Weinen schlich sie auf die Toilette. Sie setzte sich auf den Abort, mit zusammengepreßten Mädchenknien, heulte und schrie.

Der Vater nahm sie bei der Hand und ging mit ihr in den Garten hinunter. »Die natürlichen Schmerzen des Wohlergehens«, sagte er geduldig, »fühlen sich, davon sind wir ja überzeugt, zermürbender an als die dauerhaften Qualen des wirklichen Elends. Dem verwöhnten kleinen Mädchen ist die Langeweile unerträglicher als dem Fabrikarbeiter seine alltägliche Ausbeutung. Und so ergeht es dir: du ärgerst dich, du bist fassungslos über die Unpünktlichkeit des Glücks, und du kannst es dir leisten, weil du an seinem endgültigen Eintreffen nicht im geringsten zu zweifeln brauchst.«

Marlenes Blut. Die Jungens haben sich mit dem Fahrtenmesser die Haut auf dem Arm geritzt, und einer hat vom anderen einen winzigen Blutstropfen abgesaugt. Sie waren Blutsbrüder. Marlenes Blut trinken. Unsere Blutsverwandtschaft auffrischen. Eine Schwester verliert man doch nicht, wie einen Mann, wie einen Kerl, aus dem Leben. Eine Schwester ist eine angeborene Lebensgefährtin. Deine Eltern haben dir ein Schwesterlein geschenkt.

Über Paris lag ein feiner Regendunst. Wie eine Dame, sagte das Kind zu diesem Wetter. Sie standen still am Fenster und sahen hinab auf den Boulevard Edgar Quinet. Ein hochgewachsener Junge, ein Schüler vielleicht, sturzbetrunken, stolperte auf dem Bürgersteig. Marlenes Schwester spürte, daß der Schwindel, der ihn schutzlos herumwarf, sie angesteckt hatte. Sie legte rasch eine Hand auf den Nacken des Kindes. Wie heißt du? fragte sie verlegen, so daß das Kind sich abkehrte. Max, sagte es. Aber bist du denn kein Mädchen? Doch, ich bin ein Mädchen und heiße Max. Solange Julien für sie sorgte – während der Urlaubsreise ihrer Eltern –, wollte sie Max genannt werden.

Es war eine reibungslose, unverzögerte Fahrt, und immer ein Dach über dem Kopf, von Nîmes, dem gräßlichen lauten Abschiedsort bis zur stillen Zuflucht in Juliens Pariser Wohnung. Sie ging in das Gästezimmer, das die Schwestern in jedem Jahr einmal bewohnten, und zog sich um. Sie legte Marlenes langes »mexikanisches« Kleid an – obwohl sie nun darin aussah wie eine Selbstmörderin im Karnevalskostüm. Michel war auf einer Redaktionskonferenz und wollte angeblich erst am frühen Abend zurückkommen.

Die Liebe zu Marlene –, vielleicht der letzte gesellschaftliche Ort, den ich passiert habe, sehr entlegen schon, wenn man zurückblickt auf die breite Stadt, in der ich mich ausdehnte, in unvordenklicher Zeit, der Beruf und der Geldumsatz, die Straßen und die Besuche, die Abwechslung und die Wiederkehr –; sehr entlegen schon, aber immer noch ein Ort der Sprache, der Verständigungs- und Gefühlsarbeit. Und jetzt? Ich habe den Höhenweg gefunden, auf dem meine Spur sich verliert.

Nicht weit unter dem Gipfel, das wilde unsinnige Gedankengestöber seit den frühen Morgenstunden. Das ist jetzt meine Sprache. Die Tatenlosigkeit, die ich nicht beende, das ist meine Arbeit. Auch die in sich gekrümmte Enge ist ein unermeßlicher Ort.

Ich habe wohl als Kind nicht richtig zu staunen gelernt, fuhr es ihr plötzlich, wie eines Rätsels Lösung, durch den Kopf.

Erst wenn nur die anderen noch reden können über mich, werde ich wieder gesellschaftsfähig. Ich, der Madensack, bin ein Gegenstand vernünftiger Betrachtungen.

Schließlich, als ich es immer noch nicht begriff, nahm sie meinen Kopf in beide Hände und flüsterte mir auf den Mund: »Etwas in meinem Blick kannst du nicht lesen, dich aber liest es.« »Marlene?« Sie sprach märchenhaft klar, aber ich verstand sie nicht. Je angestrengter ich ihr zuhörte, um so beunruhigender und doppelsinniger wurde alles, was sie sagte. Ich wurde glühend rot im Gesicht, das Blut klopfte in den Ohren und, erschöpft von der erdrückenden Begriffsstutzigkeit, lehnte ich meine Stirn an ihren Hals. Ach, sagte ich schwach und bequem, es genügt ja, wenn du der Sinn alles Unverständlichen bist.

Ich lebe für eine Abwesende. Mein Gedächtnistheater gibt eine Vorstellung für eine abwesende Zuschauerin. Ich ziere mich, so allein ich auch bin. Es ist, als führe man diese ganze affige Existenz vor den Augen der Toten auf.

Julien, ihr gemeinsamer Freund, der in Paris ein kleines Puppenmuseum betreute, erschrak und fluchte, als er vom letzten Zerwürfnis der beiden Schwestern erfuhr. »Soweit hätte es nicht kommen dürfen!« Marlenes Schwester sah geduldig zu Boden. Juliens flammende Vorwürfe waren ein überwältigender Trost. Er beschwor die leibhaftige Undenkbarkeit ihrer Trennung. »Und wie wollt ihr die Vergangenheit unter euch aufteilen? Wie wollt ihr je wieder trennen, was ihr miteinander gesprochen und empfunden habt? Durch Vergessen? Dazu muß man geboren werden! Ich glaube an eine lebendige Konstruktion des Zusammenhalts, die euer gemeinsames Leben wie eine biologische Spur, wie ein Kind, wie das Netz einer Spinne erzeugt hat und die fortan mit unnachgiebiger Ordnungsgewalt über euch herrscht. Da gibt es kein Entkommen!«

Oh, sagte sie überrascht, da gibt es kein Entkommen? Als wäre nicht gerade das das Ziel ihrer Wünsche. Aber Julien, in der Sorge um einen einwandfreien abstrakten Gedankengang, hatte sein Bekenntnis mit Assoziationen von Naturkraft und Gottgewolltheit beschwert und so bedrohlich klingen lassen, daß sich am Ende die beabsichtigte Verheißung, unkenntlich, in Gestalt einer Zwangsvorstellung offenbarte.

Max, das Mädchen, verstand nicht, wovon die Rede war; es wurde jedoch unruhig, weil es noch nie zuvor erlebt hatte, daß sich Julien derart heilig ereiferte. Es nahm Marlenes Schwester, in der es den Störenfried erkannte, bei der Hand und führte sie noch einmal ans Fenster. »Sehen Sie nur«, sagte Max, »es wird schon dunkel. Wenn Sie das Wetter noch fotografieren wollen, müssen Sie jetzt gehen.« – »Ich will nichts fotografieren«, antwortete Marlenes Schwester, ohne auf das Kind einzugehen. »Sind Sie denn kein Tourist?« – »Doch, doch«, sagte sie müde, »ich fahre ja bald wieder.« Julien legte Max den Arm um die Schulter und sagte spöttisch: »Komm nur, diese verzweifelten Frauen sind wahrhaftig der Tod der Kinder.«

Hitze, Verwunderung, Gestaltlosigkeit. Das Stimmenmeer im Kopf, die Summe der mich bevölkernden fremden Stimmen – das bin ich, obwohl ich mich nicht mehr darin erkenne. Ich, das Einzelwesen, vermehre mich, im Verlaufe meiner Auflösung, in grenzenloser Zellteilung. Ich werde eine Menschenansammlung, eine Gesellschaft, ich werde alle anderen. Der Zimmerspaziergang wird abgebrochen, weil die Kniescheiben anfangen zu denken.

Sie versuchte es noch einmal.

Marlene liebte Juliens Geschichten über alles und sie war ihm die allerliebste Zuhörerin. Seine Geschichten spielten meistens in der Zukunft, doch Marlene bestand darauf, daß er sie in einer glaubwürdigen Vergangenheitsform erzähle. Er mußte, zum Beispiel, so tun, als habe es tatsächlich einmal jene disziplinierte Volksgemeinschaft gegeben, deren Konsum auf dem Prinzip der Wundertüten-Wirtschaft beruhte. Damals, erzählte Julien, konnte also niemand einfach kaufen, wonach es ihn gerade zu gelüsten schien. Seine Kauflust wurde ja auch nicht von offen angebotenen, sondern von zur Überraschung verborgen gehaltenen Waren gereizt. Im Handel befanden sich Wundertüten, Wundertaschen, Wundersäcke und sogar Wunderkisten. Diese wurden von einer gewaltig großen, alle lebenswichtigen Herstellungsbereiche umfassenden Produktionsgenossenschaft angefertigt und jedem Bürger auf Bestellung und per Nachnahme ins Haus geschickt. Du kannst dir denken, daß eine solche Wirtschaft nur in den Händen einer Staatsmacht aufblühen konnte, die ihren Bürgern mit ebensoviel erzieherischer Vernunft wie freudespendender Güte zugetan war. Der vergnügte Käufer fand in einem mittelgroßen Wundersack zum Beispiel Nägel, Brot, ein Buch, eine Wanduhr, drei Gabeln und fünf Rollen Pfefferminztabletten. Marlene fragte sogleich besorgt: »Aber wenn nun der Käufer zur Zeit Nägel nicht unbedingt, Zündhölzer hingegen sehr dringend benötigte? Was dann? Oder wenn er Pfefferminz verabscheute und sich auf Salmiakpastillen gefreut hatte? Was dann?« – »Liebe Marlene«, sagte Julien mit gelassenem Besserwissen, »die Wundertüten-Wirtschaft wurde ja eingeführt, um den Begriff und das Gefühl des Bedarfs abzuschaffen, um statt dessen die Freude am freien Zufall, die Erfindungsgabe und das Improvisationstalent zu wecken und zu fördern. Wenn also jemand Nägel und Brot bekam, dann beschäftigte er sich eine Zeitlang mit dem Zimmern und dem Brotessen. Bekam er jedoch Zündhölzer und hatte von einer früheren Sendung zufällig noch Zigaretten, so beschäftigte er sich eine Zeitlang mit dem Rauchen.«

Es ist wirklich schade, daß Marlene in diesem Sommer nicht kommt, sagte Julien, ich habe mir eine Geschichte für sie ausgedacht, die sie gewiß nachdenklich gestimmt hätte. – Vielleicht ist es besser so, entgegnete ihre Schwester ein wenig bitter, nach deiner letzten Geschichte hätte sie fast den Beruf gewechselt. Dann aber fügte sie, verlegen, hinzu, daß sie, als Marlenes Schwester, ihm sehr, sehr gerne zuhören würde. »Du brauchst beim Erzählen ja nur immer auf dieses Kleid zu schauen. Es gehört nämlich ihr.« Julien sah sie zerstreut an und sagte: »Später vielleicht.«

In Paris ging sie nicht mehr auf die Straße. Sie hatte keinen Mantel, die Geldbörse fiel auseinander, sie fand, ihre Haare waren zu lang. Und wenn sie so aus dem Fenster blickte, dann sah dort unten alles nach einem Überfall aus. Irgendein Halbwüchsiger, ein Schüler vielleicht, tritt plötzlich aus der leeren Stadt hervor, reißt ihr die Brille ab und schlägt ihr auf die schwachen Augen.

Das ist schon etwas Merkwürdiges, sagte Herr Holzer beim Zubettgehen zu seiner Frau, eine Schwester, die man erst inmitten des Lebens kennenlernt. Kurz vor dem Einschlafen faßten sie den Entschluß, Marlene zu adoptieren. Marlene war damals neunundzwanzig. Ihre um neun Jahre ältere Schwester hatte sie zum ersten Mal gesehen, als sie dreizehn war. Die Schwester war in Amerika aufgewachsen, weil sie dort, in Kalifornien, alle Augenblicke in eine Spezialklinik mußte, wegen ihres unerklärlich kranken Bluts. Nach dem einundzwanzigsten Geburtstag aber schien diese Lebensgefahr endgültig überstanden zu sein und sie kam zum Studium nach Deutschland. Damals war ihr Vater schon gestorben und die Mutter war noch indolenter, bis zur Unansprechbarkeit indolent geworden.

Fürchtest du nicht manchmal, fragte der junge Landarbeiter, nachdem er ihre Niedergeschlagenheit geduldig studiert hatte, daß deine Gefühle einem überwundenen Kapitel der Gesellschaftsgeschichte angehören könnten? Er hatte sich anfangs darum bemüht, sie in die Arbeit und das Leben der Gruppe einzubeziehen; er versuchte mit unaufdringlicher, doch ahnungsloser Vernunft auf sie zu wirken, sie abzulenken und umzustimmen. Sie aber schüttelte ihre Börse aus, schob ihr letztes Geld von sich weg und sah einem nach dem anderen flehentlich in die Augen. Sie bat darum, nicht mehr arbeiten zu müssen. Sie entschuldigte sich dafür, daß sie niemanden von ihnen kennenzulernen wünsche. Das gehört alles zur laufenden Gesellschaft, hätte sie fast hinzugefügt, doch das war eine Redensart von Marlene, die etwas ganz anderes bedeutete und nicht im abfälligen Sinn zu gebrauchen war.

Ja, bin ich denn ein Buch? Sie wachte auf und kämpfte mit dem Zweifel an ihrer leibhaftigen Gegenwart. Doch bereits ihr erster Augenaufschlag hatte sich eingeschrieben in die Weltgeschichte des Augenaufschlags. Von nun an konnte sie keinen Gedanken mehr fassen, keine Beobachtung anstellen, die nicht sofort zu Notizen einer alles überwachenden Geschichtsschreibung wurden. Sie drohte in einem grenzenlosen Serienwerk der historischen Wissenschaften zu verschwinden, in dem die Kulturgeschichte der Wahrnehmungen und des Schmerzempfindens, der Lust und des Trostes, der Nervosität und des Gähnens, des Flüsterns, des Wartens, des Türeschließens, des Händefaltens usw. aufgezeichnet stand und fortwährend in unzähligen Ergänzungsbänden erweitert und revidiert wurde, obendrein begleitet von einer philosophischen Geschichte des dem Serienwerk zugrundeliegenden Denkens in ähnlichem Umfang.

Juliens Jungenswunsch, ein Schriftsteller zu werden. »Das ganze Kindsein – ein einziges Abwarten auf das Schreibenkönnen.« Aber dann, als es soweit war, da waren die zum Schreiben drängenden Gefühle auf einmal alle entschwunden, wie ein Schlaf, wie ein Wind.

Marlene, wir, am Fuß des Schneebergs, im Frühjahr, zu Ostern ... Da werden wir tot geborgen aus der Lawine, geborgen! ... in der Umarmung vereist.

Julien gehörte einer maoistischen Parteigruppe an und kümmerte sich dort vor allem um die häufig erscheinenden Publikationen. Die Arbeit und die Fantasie des Puppendirektors trennte er streng, mit geradezu schizophrener Ordentlichkeit von der Arbeit und der Fantasie des Parteigenossen, ohne daß eine Tätigkeit sich zur anderen wie der Beruf zur Liebhaberei verhalten hätte. In ihm hatte die totale Dialektik eine Bruchstelle. Marlenes Schwester bewunderte ihn dafür nun stärker noch als früher. »Wenn ich doch nur auch solch eine ordentliche Doppel-Existenz zustande gebracht hätte, dann wäre ich jetzt, da die eine zerstört ist, nicht ganz so leblos.« Von Zeit zu Zeit bekamen sie in der Zentrale Besuch von einem älteren Arbeiter, der jeweils im Zustand pathetischer Empörung in das Büro stürzte. Jetzt sei es also soweit, die Fusion sei eine beschlossene Sache, die Massenentlassung nehme ihren Lauf. Wenn nicht sofort etwas passiert! Meistens nahm es dann Julien auf sich, in der betreffenden Maschinenfabrik ein paar Recherchen einzuholen, die allerdings jedesmal zu dem gleichen Resultat führten. Die Angaben des aufgebrachten Arbeiters trafen nicht zu, oder besser gesagt: sie trafen wieder einmal noch nicht zu. Da der Arbeiter aber weder ein derber Wichtigtuer zu sein schien noch etwa ein blinder Halluzinist, sondern ganz einfach den historischen Zeitpunkt einer qualvoll schwebenden Wirklichkeit nicht mehr länger aushalten konnte, faßten die Parteigenossen stets den Entschluß, in ihrem Kampfblatt über den erneuten Besuch des Arbeiters und die von ihm verkörperte Qual einer weiterhin schwebenden Wirklichkeit so wahrheitsgetreu, wie sich derlei machen läßt, zu berichten. Immerhin erreichten sie, daß die meisten Arbeiter der Maschinenfabrik mit geschärfter Aufmerksamkeit und Kampfbereitschaft die Geschäfte der Unternehmensleitung verfolgten.

Wenn Sie soviel Blut verloren hätten wie ich – hätten Sie dann nicht auch Ihren Namen geändert? fragte Michel lachend den Kommissar, der ihn nur noch telefonisch erreichte, denn Michel war bereits im sicheren Ausland. Juliens Geschichte, die er sich für Marlene ausgedacht hatte, nahm offenbar, während er sie ihrer Schwester des

Nachts auf der Dachterrasse erzählte, einen anderen Verlauf als ursprünglich vorgesehen. Julien schilderte doch mit Vorliebe allerlei verlockende Anekdoten aus dem erstrebenswerten Leben. War es nun ihre Schuld, reizte ihre Art des Hörens dazu, daß diesmal in der anfangs wunderbar ausgeglichenen Geschichte allmählich eine schauderhafte Vision ihr drohendes Haupt erhob und ihr zuwandte, so daß sie sich, in geistesgestörter Erheiterung, abkehren mußte?

Julien erzählte von der unzertrennlichen Freundschaft, die der blinde Zufall unter fünf einander wildfremden Spaziergängern ins Leben rief. Sie hatten gemeinsam aus nächster Nähe einen Flugzeugabsturz beobachtet und lernten ihre Namen und Adressen auf einer Polizeistation kennen, wo sie als Augenzeugen vernommen wurden. Das gemeinsame Erlebnis der Verkehrskatastrophe lockte sie immer wieder zusammen. Alle fünf – es waren zwei Frauen, zwei Männer und ein junges Mädchen – verspürten zur selben Zeit das gleichstarke Bedürfnis, miteinander in Verbindung zu treten. Sie schrieben sich Postkarten, trafen sich in Cafés, beim symphonischen Konzert und beim Einkaufen. Schließlich mietete Bertrand, der älteste von ihnen, eine Vorort-Villa mit zehn großen Zimmern, in die sie gemeinsam einzogen. Ein jeder löste sich aus einer etwa noch bestehenden Verbindung, aus der Ehe oder vom Elternhaus. Sie waren nun zu fünft mit sich allein und an nichts mehr gebunden als jeder an den anderen. Ein Bann von Sympathie fesselte sie aneinander und niemand konnte ihm entkommen. Wie im Schlaf, wie in einer zweiten Natur entschwanden ihnen die aufsässigen Gefühle und Bedürfnisse, die das soziale und körperliche Leben des vereinzelten Bürgers üblicherweise beherrschen, vor allem das Wollustgefühl und das Ungleichheitsgefühl lösten sich in nichts auf. Denk dir nur: eine Liebe ohne Begehren, gewaltlos, nur diese glühende Leidenschaft, einander unablässig zu beobachten, aus wechselnden räumlichen Entfernungen. Sie aßen die frischen Salate aus einer großen braunen Holzschüssel, sie fuhren an den Atlantik und schwammen zusammen im Meer, sie legten eine kostbare Briefmarkensammlung an und sie schrieben zusammen ein Theaterstück, in dem sie selber auftraten und sich über einige Filme von Jean Renoir unterhielten.

Eines Tages allerdings begann Bertrand zu sterben. Alle standen zitternd und verzweifelt an seinem Bett. Da gestand er ihnen, mit schwacher Stimme, daß er ein Betrüger sei. Das Geld, mit dem er das verwunschene Reich ihrer Freundschaft errichten und pflegen konnte, stammte aus einem Versicherungsschwindel, den er vor einigen Jahren begangen hatte, ohne daß er jemals bemerkt worden wäre. Seine verwirrten Freunde überhäuften ihn mit zahllosen Fragen, doch er drehte sich still zur Seite, tat einen rauhen Seufzer und sagte: »Ich armes Hündchen.« Dann blieben ihm die Augen stehen.

Nach dem Abtransport des Leichnams irrten die Hinterbliebenen wie Verbannte, wie geköpfte Truthähne durch alle Zimmer. Was soll denn nun aus uns werden? riefen sie flehend einander zu. Doch niemand antwortete. Als sie aber an einem der folgenden Tage von der Beerdigung schmerzbetäubt nach Hause zurückkehrten, brüllten sie plötzlich vor Entsetzen: an ihrem Eßtisch, über eine Schüssel Radieschen gebeugt, saß, frisch gekleidet, Bertrand, von dem sie eben noch für immer Abschied genommen hatten. Im Gesicht sah er noch ein bißchen unterirdisch aus, grünblaß, auch sprach er und bewegte sich wie aus großer Ferne, auf der Grenze zur Abwesenheit. Doch es genügte, um sich verständlich zu machen. Mein Tod, sagte er leise und verbesserte sich sogleich, mein Scheintod war nichts anderes als ein erneuter schwerer Versicherungsbetrug. Und zu welchem Zweck? Nun, damit wir die nächsten Jahre unseres Zusammenlebens ebenso sorglos verbringen dürfen wie zuvor. Wenn ich freilich daran teilnehmen soll, so müßte ich wohl wieder ein bißchen gegenwärtiger ... ein bißchen hübscher werden. Er hielt inne und lächelte scheu. Er mußte nun ein wenig abwarten, bis die anderen mit ihrem schockierten Verstand soweit gefolgt waren, denn nun kam der Sprung über den Abgrund, den sie nicht bemerken durften. Er bat, wie ein freundlicher Aufruf des Roten Kreuzes, um eine bescheidene Blutspende. Natürlich war niemand unter ihnen, der nicht sofort für Bertrand eine Ader geöffnet hätte. Der alte Mann wählte Michel aus und zog sich mit ihm in sein Schlafzimmer zurück.

Nur für den Bruchteil einer Sekunde erstarrte Michel in Todesangst, als sich, aus einer demütigen Neigung des Kopfes, Bertrands halbgeöffneter Mund plötzlich in seine Halswurzeln grub. Gleich darauf aber löste sich alles in einer tiefen gütigen Übereinstimmung. Als er zu den anderen zurückkehrte, lag ein ähnlich scheues Lächeln auf seinen Lippen, wie sie es zuvor bei Bertrand beobachtet hatten ...

Julien faßte nun, die Muster und Motive der alten Vampirgeschichten berücksichtigend, das weitere Schicksal der Gruppe kurz zusammen. Er betonte, daß die gebannte Harmonie ihrer Liebesgemeinschaft nicht im mindesten nachließ, obwohl nun alle, auch die Frauen, über die widernatürlichen und verbrecherischen Grundlagen ihrer

Beziehung Bescheid wußten. Neben ihren vielfältigen Zerstreuungen verfolgten sie nun auch gemeinsam gewissermaßen ein berufliches Interesse: die sorgfältige und differenzierte Abwicklung der Versicherungsangelegenheiten. Zu diesem Zweck, um die formale Basis der Vertragsabschlüsse zu erweitern, wurde untereinander sogar geheiratet und adoptiert, ohne daß dies irgendeinen Einfluß auf ihre Empfindungen genommen hätte. Hin und wieder wurde gestorben, wenn das Geld knapp wurde.

Was sind das bloß für Menschen? fragte Marlenes Schwester, und sie leben immer so weiter? Nein, antwortete Julien hart, eines Tages machten sie einen Fehler, und in den Papieren der Gesellschaften und Behörden entstand ein abgründiges Mysterium, in das die zuständigen Beamten, vom Grauen gelähmt, hineinstarrten. Der Schwindel flog auf. Bertrand und seine Geliebten wurden einige Zeit bespitzelt und dann festgenommen. Vier von ihnen steckte man sofort in den Kerker, natürlich in Einzelzellen, denn von ihrer, sagen wir, besonderen Blutsverwandtschaft ahnte man erst etwas, als alle vier, wenige Wochen nach ihrer Einlieferung, fast zur selben Stunde starben. Oder eingingen, wie man wohl besser sagt. Und der fünfte? fragte Marlenes Schwester unruhig. »Der fünfte – Michel – konnte der Polizei glaubhaft versichern, daß er nur das willenlose Opfer einer Verbrecherbande geworden war. Er wurde freigelassen. Das war nicht fair, aber was sollte er tun, um seine Haut zu retten?« Wo ist er? Was macht er? fragte Marlenes Schwester schrill. »Ich denke, er wird, wie Bertrand, versuchen, Freunde zu gewinnen und mit ihnen zusammen zu leben. Alleine wird er's ja nicht lange aushalten können ...« Marlenes Schwester verfiel in ein schluchzendes Gelächter. Julien sagte nach einer Weile mit sturer Deutlichkeit: »Das Versicherungswesen ist das Stützkorsett des Kapitalismus. Wenn das erst zerrissen ist, dann fällt das übrige fast von selbst zusammen.«

Auf der Fahrt nach Aschaffenburg wartete sie auf jedem Bahnhof darauf, daß ihr Name in der Lautsprecherdurchsage ausgerufen würde. Sie stellte sich vor, Marlene habe inzwischen bei Julien angerufen und erfahren, daß sie schon unterwegs sei. Nun wird sie doch alles versuchen, damit mich ihre dringende, umwälzende Nachricht ereilt ...

3

Am frühen Morgen verlangte sie nach der Zeitung über die vergangene Nacht. Mittwoch, dachte sie zufrieden, der einzige Tag, der nicht Tag heißt. Sie fühlte sich zu erschöpft, um aus dem Halbschlaf herauszukommen. Ihr war, als habe sie in der letzten Stunde alles geträumt, was in ihrem Kopf hauste, alles zugleich. Auf der Titelseite standen unklare Berichte über die weltweite Verbreitung des modernen Sozialdemokratismus und das nach ihm benannte allgemeine Lebensgefühl. Ein letzter Ausbruch von heiligem Zorn wurde gemeldet, ein letzter Straßenkampf in Kalabrien, ein letzter Eifersuchtswahn, eine letzte flammende Strafpredigt, ein letzter Karneval in Rio. Alle Kommentare waren in demselben süffisant verständnisinnigen Stil abgefaßt. Angewidert blätterte sie die ersten Seiten um und fand im Inneren der Nachtzeitung eine hübsche Bildseite, auf der, in einer Serie von akkuraten Federzeichnungen, allerlei kuriose und zum Teil altmodische Unglücksfälle dargestellt wurden. Eine bergsteigende Gesellschaft, die abstürzt; ein Kamel, das in sich zusammensinkt; ein Spaziergänger im Augenblick des Zu-Boden-Schlagens; ein Müller, der in sein Mühlrad eingeklemmt ist; ein Freiballon, der, von einem Storch durchlöchert, zur Erde niedersaust; eine

Droschke, die einen Abhang hinunterrollt; ein Kind, das von Insekten aufgefressen wird; ein Liebespaar, das während einer Kahnfahrt vom Blitz getroffen wird; eine winkende Schulklasse auf der Plattform einer abgerissenen Zahnradbahn, die talwärts rast; ein Bergarbeiter, der in einen Förderschacht fällt. Aber am Schluß der Serie befand sich ein alarmierendes Foto: ein schlafendes oder ohnmächtiges Mädchen lag auf einer Rolltreppe und ihre langen, hinter dem Kopf ausgebreiteten Haare mußten im nächsten Augenblick, wenn sie nicht sofort aufwachte, in den Schlitz zwischen der letzten Schwelle und dem Abtritt gezerrt und dann mitsamt der Kopfhaut abgerissen werden ... »Marlene! Hilfe!« Sie schrie mit tierischer Gewalt; doch als sie davon erwachte, hörte sie eben noch den Nachklang des merkwürdigerweise ganz ruhig ausgesprochenen Wortes »Hilfe«, als sei ihr Schrei auf dem Weg vom Traum zum Mund von einem dämpfenden Filter zu einer teilnahmslosen Gesprächsbemerkung abgeschwächt worden.

Nun befiel sie die panische Gewißheit, daß Marlene etwas zugestoßen sei, daß der stupide Zufall sie vor eine Basler Straßenbahn geschleudert habe, daß Marlene längst tot sei ...

Sie geriet in eine alles umstürzende Konfusion;

wie sinnlos wäre dann, wie komisch umsonst ihr eigener Tod, wie grundfalsch alles, was sie jetzt noch erwog und empfand. Ein gemeines, aufgeregtes Gedankengenuschel griff ihren ruhig entschlossenen Verstand an und verspottete ihr Zögern als ein, in Wahrheit, standhaftes Warten gegen den Tod.

Es fehlen dir noch zwei, drei Erfahrungen, es fehlen noch zwei, drei Gewißheiten, es reicht noch nicht ganz, schade ...

Und fast hätte sie jetzt im Jähzorn, in blinder gegen sich selbst gerichteter Mordlust gehandelt. Sie führte die Pistole zum Mund und legte die Mündung auf die Lippen; doch plötzlich, als fühle sie den späteren Pulverstaub in der Nase kitzeln, mußte sie laut niesen.

Wie? Was war das? Ein Witz? Ein Kind? Ein pathetischer Irrtum? ... Ich habe es nicht erkannt.

4

Es riß sie, wie ein Startschuß, aus der Mulde des Bettes. Und sie lief, lief, lief ...

(Schneller muß ich sein als die Kugel, die durch den Kopf jagt.) Sie lief über die Felder, die Straße, durch den Wald, durchs Dorf und dann immer den Schienen entlang.

Sie hatte sich ein bißchen Geld geborgt und löste eine Fahrkarte nach Basel. Als die Eisenbahnfahrt begann und sie sich nicht mehr selbsttätig voranbewegen konnte, wünschte sie, die nächsten drei, vier Stunden, die in der monotonen Raserei der Erwartung endlos dauern würden, nicht wirklich zu erleben. Sie drosselte ihr Atmen und nahm sich vor, während der Reise nicht öfter als hundertmal Luft zu holen. Der gestaute Atem unterdrückte zuweilen vollständig das Gehör. Dann taumelte sie inmitten der bildüberströmten Lautlosigkeit, von der es in einer Julienschen Wunschgeschichte hieß, daß sie eines kommenden Tages, ausgehend natürlich von China, sich über alle Länder und Meere ausbreiten werde, wie eine ferne Äthermasse, die sich sanft und schalltötend auf die Erde niedergesenkt hat. »Eine Epoche der natürlichsten Lautlosigkeit, in der es keine Totenstille mehr geben wird, eine Zeit wie die Katzen, wie die Fahrräder und wie die Schlafwandler, wo die Menschen fiepen werden wie die Fledermäuse ...«

5

Frau Holzer, die auf derselben Bank arbeitete wie Marlene, öffnete ihr die Wohnungstür. Sie umarmte Marlenes Schwester und führte sie eilig in das Arbeitszimmer ihres Mannes, wo mit Wein auf die Adoption angestoßen wurde. Marlene wandte ihren Kopf zur Tür und sah sie mit ernster Überraschung an. In einem Augenblick von tiefer Geduld erkannten die beiden Schwestern ihre neugeborene Fremdheit. Marlene brach den Blick ab und sagte übermütig: »Ich bin jetzt die Tochter von Herrn und Frau Holzer.« Ihre Schwester konnte nichts mehr sehen und sank bewußtlos zu Boden.

Als sie erwachte, lag sie wieder auf einem Bett. Die Familie Holzer hatte sich um sie versammelt. Frau Holzer reichte ihr eine Fleischbrühe, Marlene ließ sie von ihrem Wein trinken, und Herr Holzer nickte fortwährend ermunternd auf sie ein.

Marlene begann zu reden: »Gestern ist Julien gekommen, mit einem Freund. Sie sind auf der Suche nach einer Wohnung, die größer ist als diese hier. Denn es steht nun fest, daß wir in einer kleinen Gruppe zusammenleben wollen. Eine Weile, solange es eben geht. Wenn du es für möglich hältst, daß du deine übergroße Zuneigung zu mir in jene ebenmäßigen Gefühle verwandeln kannst, die uns andere nun miteinander verbinden, so würden wir dich gerne in die Gemeinschaft aufnehmen.« – »Ja«, sagte Marlenes Schwester ängstlich, »ich will es versuchen.«

6

Am Abend trat Julien an ihr Bett und jubelte ihr zu. Er war ausgelassen wie ein Kind, vor Freude darüber, daß sie nun alle beisammen wären. Die Wohnungssuche war an diesem Tag allerdings erfolglos geblieben.

Und das ist Michel, sagte Julien, indem er seinen Begleiter am Arm nahm und vorführte, du kennst ihn ja. Nein, sagte Marlenes Schwester und grüßte freundlich. Doch, es ist dieser Michel aus meiner Geschichte, die ich dir in Paris erzählt habe. Du hast sie doch nicht etwa vergessen? Michel ist der einzige, der mit heiler Haut davongekommen ist.

Sie richtete sich auf, zu Tode erschrocken, und starrte Michel an. Das ist also das Ende, dachte sie, das Ende beginnt.

Sie versuchte es noch einmal.

Theorie der Drohung

1

Aufgewacht aus tiefem Lesen, vom unruhigen Rhythmus der Zeilen zum Reden gebracht, der Mund halb noch im Dunkeln, so wendet sich nun das wieder aufgenommene Selbstgespräch dem ersten Kalendertag des Winters zu. Es beginnt mit dem dichten Verblassen meiner täglichen Landschaft, nach einem schweren Schneefall, pünktlich zufällig, schon in den frühen Morgenstunden. Mein einziger Ausgehweg, mein unentbehrlicher Waldhorizont, ohne den ich nicht weiß, wo ich hier bin, alles spurlos verschwunden, und stattdessen aufgeschüttet ein offenes weißes stumpfes Nichts, als sei eines meiner immerleeren Blätter vom Schreibtisch aufgeflattert und habe sich, zu meinem Spott, grenzenlos über die Gegend gedehnt. Das eigene Ungeschriebene und die unüberblickbare Gesichtslosigkeit der Natur bildeten sich unzertrennlich ineinander ab und erhoben sich zu einundderselben übermenschlichen Aufgabe des erschöpften Autors.

Durch den Schnee auf den nackten Ohren dringt von draußen kein Geräusch mehr zu dir. Was jetzt noch laut ist, bist allein du selbst. Du hörst es, wenn deine Augen sich schließen. Um ein einziges Geräusch aus der Ferne zu vernehmen, mußt du wohl zu Bett gehen und den Lärm im Traum erhoffen.

Ich bilde mir ein, nie zuvor hat jemand so stundenlang seine ganze Aufmerksamkeit, alles, was wach an ihm ist, so ausschließlich in die Erwartung eines Telefonanrufs – von irgendwem, von draußen, von irgendwoher – gesetzt wie ich an diesem ersten Wintertag in meinem schneeumzingelten Gärtnerhäuschen weit außerhalb der Stadt. Obwohl nicht die geringste Hoffnung bestand, daß ich tatsächlich angerufen würde, war ich dennoch den ganzen Morgen über unfähig, etwas anderes zu empfinden als diese bebende Erwartung, die selbst in den verschwiegensten Gegenständen meiner Umgebung einen telefonischen Reiz verborgen ahnte. Aus diesem Buchrücken hier könnte, jeden Augenblick, das schrille Klingelzeichen ertönen, das vielleicht eine weiche menschliche Stimme ankündigte, aus dieser Streichholzschachtel, aus diesem Staubtuch könnte es schellen, läuten, rufen, locken. Der Telefonapparat aber, das sprungbereit hockende Sprechtier in seinem schwarzen Gehäuse, blieb unablässig still und drohte zugleich ebenso unablässig sein lauerndes Schweigen zu brechen. Schließlich hob ich den Hörer ab, um zu prüfen, ob der Anschluß noch lebt. Und – pünktlich zufällig wie der schreckliche Schnee am ersten Wintertag, so pünktlich zufällig nun die Stimme im Hörer, die mich begrüßt. Es ist Dr. W., ein Schulkamerad von mir, der heute in F. seine eigene psychiatrische Klinik leitet. Ein Mensch, dessen Existenz die meine von jeher bedrückt und überschattet hat, weil er mir ähnlich und dabei doch in allem weit überlegen ist, es immer schon war, und heute erst recht, wenn er mir zu verstehen gibt, daß er mich viel gründlicher kennt als ich selbst es je vermöchte und daß einzig seine Behandlung imstande wäre, mir die Augen über mich zu öffnen. Er muß im sekundengleichen Augenblick meine Nummer durchgewählt haben, in dem ich willkürlich den Hörer abhob. Bei mir, sagt er, in der Klinik, ist eine junge Frau, die schreit. Sie schreit so entsetzlich laut und sie läßt sich durch nichts beruhigen. Ich hörte tatsächlich am anderen Ende der Leitung krampfartig geschrieene Rufe, die offenbar aus einem Nebenzimmer in Dr. W.'s Telefonmuschel herüberdrangen. Ich weiß nicht, ob ich noch in der Lage war, auf diese langersehnten »Geräusche aus der Ferne« ohne fantastische Einbildungen zu reagieren – ich glaubte jedenfalls in diesem Verzweiflungsschrei die klanglichen Umrisse meines Namens zu erkennen. Ja, ich hörte diese verletzte Frau meinen

Namen brüllen, als müsse sie über einen tosenden Katarakt hinweg mich auf sich aufmerksam machen. Weshalb ich dich anrufe, sagte Dr. W., ich glaube, sie schreit nach dir.

Ja? fragte ich knapp und beinahe freudig. Anstatt mich zu fürchten, dachte ich sofort an jenes überglückliche Mädchen, das in meinen früheren ›Notizen zur Wunschangst‹ plötzlich aufgetaucht war und dort das flüchtige Fragment einer wirklich hoffnungsvollen Begegnung hinterlassen hatte. Ich habe die Stelle herausgesucht, wo von ihr die Rede ist: »Heute kurz vor dem Einschlafen am späten Nachmittag höre ich eine Frauenstimme unten auf der Straße laut und deutlich meinen Namen rufen. Ich denke sofort, dies gehört in die Geschichte eines Mädchens, das als politisch Beschuldigte über Monate in Untersuchungshaft gehalten wurde, und nun, überraschend freigelassen, halsüberkopf zu ihrem Freund reist, in einen anderen Teil des Landes, und schon, während sie in der Eisenbahn am offenen Fenster steht, laut seinen Namen in die Nacht hinausruft. Als gäbe es kein Telefon, als trüge ihr heiliger Übermut den Schall ihrer Stimme über Städte hinweg zu ihm. Der Freund sitzt zur selben Zeit zuhause, ahnt nichts und spielt gegen sich selbst eine Partie Schach. Und sie kommt in seiner Stadt an und sie ruft seinen Namen unter seinem Fenster. Wenn er aber bestürzt hinaussieht, ist sie verschwunden. Denn sie möchte das Wiedersehen, solange es sich aushalten läßt, hinauszögern. Sie folgt ihm am Morgen, wenn er in die Stadt zum Einkaufen geht und ruft ihn wieder, inmitten einer Menschenmenge, laut und froh. Er dreht sich um, doch schon ist sie wieder verschwunden. Sie ist wirklich auf übernatürliche Weise glücklich und balanciert auf dem obersten Gipfel der Freiheit ...«

Ich weiß nicht, woher sie kommt, sagt Dr. W., ich weiß nicht, wie sie heißt. Ich habe sie nie zuvor bei dir gesehen, und doch behauptet sie, in den Jahren 1968 bis 1970 hättet ihr beide zusammengelebt. Das ist, außer deinem Namen, alles, was sie hervorbringt.

Aber hast du ihr nicht gesagt, daß ich zu dieser Zeit mit S. zusammen war? Die gibt es ja noch, die kann das beweisen, wenn es darauf ankommt.

Nun fühlte ich mich doch bedroht und ereiferte mich, als müßte ich einen Mordverdacht von mir weisen.

Nein, antwortete mein Freund, ich habe von S. nichts erzählt. Ich halte es für besser, wenn du selbst mit ihr sprichst. Meiner Meinung nach handelt es sich um ein früheres Verhältnis von dir, irgendein grundgütiges Mädchen, das du verrückt gemacht hast ... Komm nur her, so schnell du kannst.

Ich verließ also an diesem Tag mein kleines Haus, trat die erste Spur in den Schnee und ging schließlich über die Landstraße zu Fuß nach F., nachdem ich eine Viertelstunde vergeblich auf den Bus gewartet hatte.

2

Hier, wo ich schreibe, kannst du mich nicht sehen. Und doch steht, was ich schreibe, wie »die Fahne des Robinson auf dem höchsten Punkt der Insel« ...

Am anderen Ende der Reise ein schwaches Licht: deine tränenden Augen, deine weißen Handschuhe, an deren Flecken du schnupperst ... Heute quält mich zum ersten Mal der Verdacht, daß die wenigen Dinge, die hier geschehen, die gewöhnlichen Erlebnisse, in Wahrheit weit über meinen Verstand, nein, weit sogar über mein Vorstellungsvermögen hinausgehen könnten. Begreife ich davon nicht immer nur gerade so viel, wie ich auch verkraften kann? Vielleicht passiert es eines Tages, daß mir ein einfacher Gruß, ein Kopfnicken, ein Fremder, der Ja sagt zu meinem

Gesicht, wirklich die Augen aufreißt, in sekundenschneller Utopie, umstürzend meine eintönigen Betrachtungen, so daß ich dann alles Vorübergehende in einer ungeahnten Bedeutungsweite, alles Vereinzelte in einem nie zuvor berührten Korpus von Zusammenhängen erblikke ... ach, dies strahlende Denken! – nach spätestens zwei Sekunden müßte ich gewiß in Ohnmacht fallen. Es geschähe mir, Lea, wie der hübschen Gouverneurstochter am Abend ihres ersten Balls, wenn es ihr vor Aufregung und Hast nicht gelingen will, sich vorteilhaft genug zurechtzumachen. Ihre Hast steigert sich noch mit der panischen Gewißheit, daß sie gar nicht und mit nichts mehr vorankommt, und treibt ihre blinden und falschen Handgriffe auf jenen Gipfelpunkt von sinnentkräftender Turbulenz, aus der nur die Ohnmacht sie erlösen kann. So sinkt sie ihrer Mutter in die Arme. Die Mutter aber, die bisher nicht helfen konnte, hebt den bewußtlosen Kopf der Tochter auf ihren Schoß und zieht nun mit Ruhe und Sorgfalt den feinen Strich über die innehaltenden Lippen, auf die geduldig gesenkten Lider. Eine Ohnmächtige wird geschminkt.

Auch mich, Lea, schminken die Dinge, die geschehen, einen Ohnmächtigen in ihren Armen, und färben seinen unbelebten Mund, seinen verschlossenen Blick. Und wenn ich wieder zu mir komme, so trage ich ihre Maske, ohne es zu wissen ...

Nein, ich kannte Lea wirklich nicht. Ich war ihr nie zuvor begegnet, sie war eine Fremde. Als ich sie zum ersten Mal sah, durch ein Guckloch in Dr. W.'s Sprechzimmer, hockte dort eine sehr hochgewachsene, etwa dreißigjährige Frau, offenbar in die schlimmstmöglichen Verhältnisse ihres Wesens zusammengesunken, auf einem harten Büroschemel, der für die ausladende Unordnung ihrer Glieder nicht genügend Platz bot. Sie stopfte sich Strähnen aus ihrem schulterlangen dunkelblonden Haar in den Mund. Zu schreien hatte sie aufgehört, und Dr. W. meinte, sie spüre möglicherweise bereits meine Nähe. Tatsächlich kam ihr Gesicht nun in Bewegung, schien sich gleichsam zu vervielfältigen in einen Film von Gesichtern mit den verschiedenartigsten Gemütsmotiven, und ich erkannte an den schlechtbeherrschten, unpraktischen Bewegungen von Kopf und Armen, daß sie in einen Zustand von starker katatonischer Erregung verfiel. Die einsame theatralische Veranstaltung von Dr. W.'s Patientin wirkte auf mich ebenso anziehend wie verletzend; ich bemühte mich, ihr nach Art eines unabhängigen Rezensenten zu folgen und vergaß darüber vollständig, daß ich es angeblich sein sollte, der auf unbegreifliche Weise diesen Fall verschuldet, der Lea diesen riskanten Part zugeschrieben hatte. Ich dachte darüber nach, wie unberechtigt man von einem solchen Menschen behauptet, er habe sich seiner selbst entfremdet, entstellt oder dergleichen. Umgekehrt, sah es nicht vielmehr danach aus, als suchten diese überspezifischen Gebärden, die das Gesetz und die Typik einer gemäßigten Mitsprache unseres Körpers bei sozialen Verständigungen überschritten und zerschlugen, einer äußersten Vollkommenheit und Identität des eigenen Ausdrucks nahezukommen? Einer Identität, wie sie die gesprochene Sprache unmöglich gewähren kann. Niemand wird von sich behaupten können, er nenne ein einmaliges, unverwechselbares Wort sein eigen. Ein solches Privatwort wäre unter allen Umständen ein sinnloses, unnützes Wort. Wohl aber kann sich jemand durch eine unverwechselbare Geste auszeichnen, ohne daß diese bedeutungslos sein muß; er darf sogar mit einiger Sicherheit annehmen, daß die gewisse Geste, in der besonderen Art ihrer Erscheinung, einmalig ist und auf der ganzen Welt nirgendwo als nur bei ihm anzutreffen ist. Ich nahm an, auf diese grundlegende Unterscheidung stütze sich der radikale Ehrgeiz von Leas stummer Selbstdarstellung. Jedenfalls bildete ich mir auf diese Weise die eine oder andere theoretische Meinung über die wilde Darbietung, um ihren unmittelbaren sinnlichen Einwirkungen nicht völlig schutzlos ausgeliefert zu sein. In Wahrheit bekam ich's mit der Furcht zu tun, der bloße Anblick der Hysterika könne gleichsam eine infektiöse Übertragung auf mich auslösen. (Was uns schreckt, sagte ich mir daraufhin beflissen, kann unmöglich das ganz Andersgeartete oder das sogenannte Abnorme sein, sondern stets nur das wesentlich Verwandte im Zustand seiner extremsten Erscheinungsform. Zweifellos las ich in Leas Verrücktheit sofort das Schreckensgleichnis auf meine eigenen qualvollen Versuche, mich schreibend auszudrücken.)

Nun? fragte Dr. W., erkennst du sie? Erinnerst du dich?

Nein. Ich kenne sie nicht. Ich schwöre dir, ich habe sie nie zuvor gesehen.

Ich möchte, daß du zu ihr hineingehst. Ich muß schließlich wissen, ob du es bist, nach dem sie gerufen hat, oder ob es sich um jemand anderen gleichen Namens handelt.

Als ich zu ihr ins Zimmer trat und die Tür hinter mir schloß, veränderte die Patientin ihr Verhalten nicht. Sie hatte mich noch nicht bemerkt, die Grenze ihrer Wahrnehmungsfähigkeit schien in nur geringer Entfernung von ihrem Körper zu verlaufen. Ich ging bis auf einen Meter in ihre Nähe und fragte laut, lauter als ich es beabsichtigt hatte, ob ich es sei, den sie gerufen habe. Sie unterbrach auf der Stelle ihre Aktivität, warf mit einem durchaus beherrschten, gewandten Aufschwung des Nackens ihre Haare aus dem Gesicht und sah mir offen, mit einem gleichermaßen empfangenden wie durchdringenden Blick in die Augen. Ja, sagte sie ohne Zögern, und ihre heißgelaufenen Gesichtszüge entspannten sich nun zu einem unerforschlichen Lächeln, das ebensogut die schüchterne Heiterkeit einer ersten Sympathie wie auch den müden Genuß eines späten Wiedersehens ausdrücken konnte. Es gelang mir jedenfalls nicht, den eindeutigen biografischen Zeitpunkt dieses Lächelns zu ermitteln. So erlebte ich den ersten von vielen nun folgenden Augenblicken, in denen Lea sich Zutritt zu meinen Erinnerungen erschlich, darin auftauchte wie das wachgeküßte Versäumnis in einer weit zurückliegenden, flüchtigen Begegnung, ein Mädchen, dessen einziger Schutz man vielleicht einmal war, für zehn Minuten, nachts, im letzten Vorortzug, der in den Hauptbahnhof einfährt. Augenblicke, in denen Lea mich allen Ernstes daran zweifeln ließ, daß meine Vergangenheit wirklich ganz ohne sie stattgefunden haben könnte.

Sie stand auf und streifte mir Haare, die sich aus der Frisur gelöst hatten, von der Stirn – als sei ich nun das Sorgenkind, ich der starrtrotzige Patient, der sich verwahrlosen läßt, und sie die hütende Vertraute, die mich geduldig pflegt, adrett zurecht macht.

Ich sah mich um nach dem Schemel, auf dem Lea eben noch gehockt hatte, verkrampft, ichsüchtig, unkenntlich, und suchte nach der Larve des Wahnsinns, aus der dies heitere große Mädchen ausgeschlüpft war und die doch da irgendwo noch herumliegen mußte. Aber der häßliche Schemel stand leer und ungezeichnet an seinem Fleck, ein indifferenter Ort, inmitten von Ungeschehenem.

Lea nahm meine Hand, zog mich aus dem Zimmer, hinüber zu Dr. W. Ich war enttäuscht, daß er sich nicht im mindesten überraschen ließ, meine Wunderheilung schien ihn nicht zu beeindrukken. Er lachte nur über uns, ziemlich laut, fast frivol. Lea hakte sich bei ihm und mir unter und schlug vor, chinesisch essen zu gehen. Ich fühlte mich plötzlich in die dümmsten Niederungen eines Lustspiels verirrt, denn wir standen wahrhaftig so lebenslustig schmunzelnd da wie die Drei von der Tankstelle. Dr. W. hatte Termine und konnte uns nicht zum Essen begleiten, lachte aber noch einmal laut auf und wünschte uns zum Abschied einen weiterhin vergnügten Tag. Er lief uns ein paar Schritte nach und übergab Lea ein Paar fleckiger Waschleder-Handschuhe, die man ihr offenbar abgenommen hatte, bevor sie auf den Schemel gesetzt wurde. Außer diesen weißen Handschuhen, die auch nicht gegen Kälte schützten, besaß Lea noch eine gestrickte Umhängetasche, die sie im Korridor vom Kleiderständer nahm, und sonst gar nichts, weder einen Mantel noch einen Umhang oder Schal.

Ich ging also an der Seite dieses Sommernebels von Frau, die sich mir zugewandt hatte, ohne doch das mindeste von ihrer Abwesenheit aufzugeben, durch die verschneiten Straßen von F. und kaufte ihr erstmal etwas Warmes zum Anziehen.

3

Ich schreibe über Lea und werde, Satz für Satz, unerbittlich verfolgt von der endgültigen Auflösung alles bisher von mir über Lea Geschriebenen. Es ist, als liefere diese Geschichte sich ein Kopf-an-Kopf-Rennen mit ihrer eigenen Verflüchtigung. Ich bin jedenfalls darauf gefaßt, am Ende, nachdem ich die letzte Linie am äußerst letzten Buchstaben gezogen haben werde, eine spurlos verschwundene, vollständig verblaßte Erzählung zu hinterlassen.

Es ist schon merkwürdig genug, daß ich den Zeitpunkt, zu dem ich schreibe, nicht zuverlässig bestimmen kann. Wann schreibe ich hier? Und wann geschieht oder geschah, worüber ich schreibe? Ich kann es nicht sagen, ich weiß es nicht. Sicher ist nur: Die Zeit mit Lea schuf ihre eigene Chronologie, und vielleicht habe ich darüber jeden Sinn für zeitliche Abstände verloren. Daran ändert auch die Tatsache nichts, daß Lea unterdessen nicht mehr bei mir ist; denn wie soll ich zwischen der verschollenen und der sichtbaren Lea unterscheiden, solange ich mich in diesen schrecklichen, alles gleichmachenden Gezeiten der erscheinenden, der entweichenden Schrift nicht zurechtfinde? So etwas habe ich vorher noch nie erlebt ...

Damals, als S. mich verlassen hatte, habe ich, umnachtet von unaufhörlichem Lesen, gut anderthalb Jahre zugebracht mit schwerfälligem Vergessen. Betäubt auch in meinem Ehrgefühl blieb ich sogar in unserem Gärtnerhäuschen wohnen, obwohl ich doch inzwischen wußte, daß es vom Geld ihres gütigen Geliebten erworben worden war, jenes dänischen Zahnarztes, mit dem S. mich, fast seit Beginn unserer Beziehungen, hintergangen hatte und zu dem sie, nachdem ich eines Tages den lebensverfälschenden Schwindel entdeckt hatte, schließlich auch übergelaufen war.

Um S. herum hatte sich in meiner Biografie eine bösartige Geschwulst von Lächerlichkeit und Beschämung gebildet. Und ich unternahm nichts dagegen, ich wartete vielmehr mit gewissenloser Neugierde auf ihre allmonatlichen Metastasen; damit meine ich die großzügigen Überweisungen, die mir von einem Kopenhagener Bankkonto zukommen und auf deren Gutschriftzettel S. ein jedes Mal den heroisch klingenden Gruß notiert: »Für unser Werk, mein Liebster!« Immer wieder beunruhigt mich diese aus weiter Ferne herübergerufene Zueignung. Unser Werk ... was für ein Werk? Welches Werk kann sie nur meinen? War denn noch irgendetwas geplant? Hatten wir gar verabredet, gemeinsam etwas zu schreiben? Ich kann mich an nichts dergleichen erinnern. Immerhin war es möglich, daß sie mir eine ihrer brillanten Ideen abgetreten, einen fruchtbaren Theorieansatz hinterlassen hatte, den ich nun mit ihrer finanziellen Unterstützung ausarbeiten sollte, vielleicht das Grundkonzept zu einer literarischen Studie über ... über ...? Keine Ahnung, keine Ahnung. Auf namentliche Einzelheiten, die mit S. und mir zusammenhängen, besinne ich mich nicht mehr. Meines Erachtens war unser eigentliches gemeinsames Werk – die unerschöpfliche Produktion von Gespräch, welches stets Gespräch über Noch-zu-Besprechendes war – abgeschlossen in dem Augenblick, da wir einander außer Hörweite uns entfernten. In der Zeit zuvor allerdings hatte der hemmungslose, die Grenzen und Gegensätze unserer benachbarten Körper bestürmende Gedankenaustausch uns in eine gefährlich glühende Nähe zueinander geführt, die schließlich für mich die schroffe Trennung umso unfaßbarer, umso schmerzlicher werden ließ.

Meine einladende Art des Halbwissens hatte S. anfangs völlig den Kopf verdreht. Sie, die gerade ihr Diplom als Nahrungsmittelchemiker erworben hatte, lernte das Ungefähre, das Spekulative und Paradoxe kennen wie einen unentdeckten Kontinent ihres Bewußtseins.

Das, was ich zum Leben unverzichtbar brauche, die schonende Kur des Lesens, wurde ihr bald zu einer fremdartigen, kostbaren Verlokkung. Und – um wieviel mehr erst verführt die Literatur, wenn es darum geht, auf Tausenden von Seiten nach jemandem zu suchen, den man zu lieben begonnen hat und dessen ganzes Wesen man aus den unzähligen Ähnlichkeiten, so wie sie überall in seinen geliebten Büchern erscheinen, zusammenfinden und ergänzen muß. Ja, S. sammelte mich auf, mit unerhörtem Fleiß, allerdings nicht, indem sie übermäßig viel las, sondern indem sie mich dazu brachte, immerfort über sie zu reden, ein Porträt, eine verliebte Abhandlung über S. zu entwerfen, in der alle wesentlichen Züge meines Denkens, die Summe meiner Kenntnisse und Leseerfahrungen in leuchtender Körperlichkeit hervortraten und mühelos von ihr studiert und aufgegriffen werden konnten. An ihren immer geschickter forschenden Fragen merkte ich, daß sie alles, was sie erfuhr, in den verschiedenartigsten Zusammenhängen gut zu gebrauchen und auf verblüffende Weise neu zu kombinieren verstand. Es lief darauf hinaus, daß die Literatur, mit der ich für mich hatte werben wollen, mich am Ende ausstach und selbst zum einzigen Gegenstand ihrer Leidenschaft wurde. S. liebte die Literatur, ohne je ein wichtiges Werk gründlich von vorne bis hinten durchgearbeitet zu haben. Ich würde sagen, sie wurde eine von Methodik Besessene, unfähig, einen Text der geringsten inhaltlichen Kritik zu unterziehen. Zahllose Theorieansätze fand sie wie im Schlaf, extravagante und vielversprechende, die beiläufigsten Bemerkungen organisierte sie zu Themen und Fragestellungen von übergeordneter Bedeutung, und ihre Fantasie war derart überflutet von Plänen und Projekten, so entschieden potentiell war ihr ständiges »Man müßte einmal untersuchen, wie ...«, daß es ihr unmöglich war, je nur für eines dieser Vorhaben tätig zu werden. Ihr einzigartiges Talent, im Vorüberlesen, halb nur dem Text zugewandt, den gemeinsamen Augenblick der Wahrheit zu erwischen, in dem jene vom Lesen sich entfernende Lektüre das äußerste Fluidum des Textes streift, hätte am Ende vielleicht eine Theorie der Literatur hervorgebracht, derzufolge man Texte danach beurteilt, ob sie das souveräne Mißverständnis, das inspirierte Versehen, den ungenauen Leser zulassen oder nicht.

Als ich mich wieder einmal über eine Quittung der Kopenhagener Commerzbank beugte und mir über die Bedeutung von »Für unser Werk, mein Liebster!« den Kopf zerbrach, beschloß ich, Lea um Rat zu fragen. Schließlich gab sie sich nach wie vor allen Anschein, in den fraglichen Jahren von 68 bis 70, die ich meiner Ansicht nach mit S. verbracht hatte, mit mir zusammengelebt zu haben. Sie war nach unserer ersten Begegnung in F. nicht mehr von meiner Seite gewichen, war mir ganz selbstverständlich nach Hause gefolgt und hatte sich mit den ersten Schritten in den Räumen zurecht gefunden, die Einrichtung hier und da ein wenig korrigiert, weil sie sie angeblich verändert fand, alles in allem, die unantastbare Illusion der verlorenen Geliebten, die glückliche Heimkehr hält.

So fremd und unerklärbar mir diese unbekannte Vertraute zunächst erschien – sie hatte im übrigen nichts, was mich an S. erinnern konnte, und ich glaube nicht, daß ich mich je in sie verliebt habe, das heißt, unserer Liebe fehlte vollständig der erste Beginn, alles Anfängliche war offenbar nie geschehen – so wenig verspürte ich andererseits ein Bedürfnis, sie zu »entlarven«, sie irgendwelcher billigen Tricks oder falscher Absichten zu überführen. Was immer sie an Täuschung an den Tag legen mochte, es gefiel mir, ihre feste, abgeschlossene Art zu beobachten, die keine weitere Erziehung mehr zuließ und von mir und meinen schwankenden Selbstbehauptungen vollkommen unbeeinflußt blieb.

Und wenn ich sie nun danach fragte, welches gottverdammte Werk wir beide denn wohl Ende 1969 geplant haben könnten, dann nur, weil ich neugierig war, wie sie sich nun angesichts einer solch speziellen Überprüfung aus der Affäre ziehen würde. Tatsächlich schien sie meine Anfrage nicht in die geringste Verlegenheit zu bringen. Sie gestand lediglich, nach einem kurzen Moment des Nachsinnens, daß sie, so prompt aus dem Kopf, die Antwort nicht genau zu sagen wüßte. Dabei zog sie die inneren Enden ihrer Augenbrauen zusammen, und auf ihrer Stirn entstanden zwei extrem senkrechte Sorgenfalten, wie ich sie auf dem Gesicht einer Frau noch nie beobachtet hatte. Sie holte ein dunkelblaues Notizheft aus ihrer Umhängetasche, blätterte darin und fand offenbar ziemlich schnell, was sie brauchte.

Das Werk, nach dem du mich fragst, stellte Lea mit unergründlicher Bestimmtheit fest, erhielt von uns den Arbeitstitel: ›Teatrauma – Ein Beitrag zur Geschichte der Gefühlskultur im vorgoetheschen Weimar.‹ »Teatrauma«? Wie? Was hatte das zu bedeuten? Teatrauma ... befragte ich vollkommen verständnislos diesen dunklen Begriffsmeteor, und doch stand da irgendwo in meinem Gedächtnis, weit, weit entfernt, das erloschene Gestirn einer Ausdrucksweise, deren ich mich mit S. bedient hatte und dem ein solch künstliches Fremdwort wie »Teatrauma« entsprungen sein konnte. Aus dem Griechischen übersetzt stellte ich mir darunter so etwas vor wie: Verletztwerden beim Anschauen von Theateraufführungen ...

Lea half mir sogleich über meine Begriffsstutzigkeit hinweg: Teatrauma, so nannten wir eine noch unerforschte Sinnesverwirrung, die seinerzeit, im Jahre 1774, den kleinen Kreis der maßgeblichen Herrschaften am Hofe der Herzogin Anna Amalia erfaßt und sich wie eine ansteckende Krankheit von einem zum anderen übertragen hatte. Sei's aus Übermüdung, sei's aus überspannter Erwartung, plötzlich erschraken diese Leute vor ihren eigenen Verkehrsformen. Die wohl feudalherrschaftlich geordnete, jedoch äußerst begrenzte Öffentlichkeit, die ein paar Dutzend Beamte und Militärs verkörperten und in der sie ihre – ziemlich bedeutungslosen – Geschäfte, ihre – ziemlich bedeutungslose – Machtausübung regelten, diese etwas fantastisch gewordene Öffentlichkeit löste eines Tages in den nur mittelmäßig aufgeklärten Köpfen ihrer Repräsentanten eine ernste Krise aus. Sie wurden nämlich von der grotesken Schreckensvorstellung geplagt, nichts mehr, auch die abgeschiedenste und intimste ihrer Verrichtungen nicht, sei vor den Augen der anderen, vor dem Blick einer total und in sich grenzenlos gewordenen Öffentlichkeit geschützt. Sie fühlten sich immerzu und überall auf einem Theater agieren, unablässig beobachtet nicht nur von ihresgleichen, sondern darüberhinaus von einer unübersehbaren Menge von unbekannten Zuschauern, die sie selbst nicht erkennen konnten, deren böses Gelächter ihnen aber in den Ohren schallte, wenn sie zur Bonbonniere griffen oder den Federkiel in die Hand nahmen. Sie selbst verachteten sich bei diesen einfachsten, doch stets aus dem Dunklen verhöhnten Vorgängen am allermeisten und vermochten bald keinen Gruß und keinen Schriftzug mehr unverstört auszuführen.

Wir beide wissen nur durch einen glücklichen Zufall von dieser spätfeudalen Zwangsneurose,

– gewissermaßen eine barocke Regression kurz vor Anbruch des bürgerlichen Zeitalters – denn in Weimar wurde diese Gemütskatastrophe völlig unter den Bann des schweigenden Erduldens gestellt. So existiert wohl nur das einzig uns beiden bekannte Quellenzeugnis; jener denkwürdige Brief der Madame de Lanctôt, die bei ihrem Geliebten, einem jungen Feldmarschall der herzoglichen Armee, zu Besuch weilte und ihrem Gatten nach Paris von der »angoisse incompréhensible« berichtete, die sie an ihren deutschen Freunden beobachten mußte, und die, wie sie schreibt, »fait du plaisir le plus délicieux du monde une pitrerie tant amère qu'épouvantable. Tremblant et s'agrippant à moi comme à un récif, mon amant, imaginez-vous, au suprême instant de la jouissance, s'abandonna et emplît de sa pisse mon con!«

Dieses einzigartige Dokument geriet auf kaum verfolgbaren Irrwegen in die Hände des flämischen Großreeders Jan Hendrik Mykebusch, dem dessen Sohn Conrad eine zweibändige Lebensbeschreibung widmete und 1857 in Antwerpen veröffentlichte. Im Anhang zu diesem Werk findet sich, gewissermaßen als frivoles Kuriosum, der Brief der Madame de Lanctôt wiedergegeben, den Conrad Mykebusch in der Hinterlassenschaft seines Vaters entdeckt hatte. Der allzu abseitige

Ort der Veröffentlichung mag schuld daran sein, daß dieses für die Geschichte der deutschen Gefühlskultur so bedeutsame Zeugnis bis heute keinem der zuständigen wissenschaftlichen Fachgebiete bekannt geworden ist ... Übrigens ist es wahrscheinlich, fügte Lea hinzu, daß das Erscheinen Goethes in Weimar dem Spuk augenblicklich ein Ende bereitet hat. Man darf sich vorstellen, daß der junge bürgerliche Dichter gleichsam eine Übertragungsautorität darstellte und die kleine höfische Gesellschaft vom Trauma der bürgerlichen Bedrohungen entlastet hat, von diesem seltsamen Teatrauma, wie wir es genannt haben ...

Mit diesen letzten Worten schien Lea sogleich jede Verbindung zu ihren Ausführungen und zu ihrer Rolle als gewissenhafter Referentin abgebrochen zu haben. Gleichgültig und traurig starrte sie vor sich hin und lehnte sich ein wenig entkräftet an meinen Schreibtisch. Für sie war damit das Rätsel um unser aufgegebenes Werk gelöst und zum Vergessen abgefertigt. Ich hingegen blieb unruhig berührt von ihrem Vortrag, in dem es ihr gelungen war, einen für S. und mich typischen Diskurs täuschend ähnlich nachzuahmen, und ich wollte mir unbedingt noch die eine oder andere offengebliebene Frage erläutern lassen (nicht zuletzt, um mein gutgläubiges Interesse an ihrer kostbaren Geschichte zu unterstreichen).

Ich möchte nur wissen, Lea: wie sind wir beide eigentlich an dieses unschätzbare Material, wie sind wir an diese Mykebusch-Biografie geraten?

Ein Glücksfall, ein Zufall, ein Glücksfall, sagte sie rasch hintereinander mit auf- und abgehenden Schultern, auf einer Buchausstellung in Antwerpen, in diesem Soundso-Haus, diesem Museum, lag der Foliant, und wir haben ein bißchen darin geblättert und plötzlich, ganz hinten, das Wort »Weimar« entdeckt.

Ach? In Antwerpen sind wir mal zusammen gewesen, ja?

Ja, ja, natürlich waren wir zusammen in Antwerpen.

Der versehentlich ironische Ton meiner Frage hatte Lea beleidigt. Sie entzog sich mir, indem sie gekränkt tat, und zwar mit der gebräuchlichen Miene einer jeden Geliebten, der man zu verstehen gibt, daß man eine einst gemeinsam unternommene Reise restlos vergessen hat. Ich kehrte also bescheiden zu mir selbst zurück, hielt mir meine stark verminderte Erinnerungsfähigkeit vor, die ich nach der Trennung von S. gewaltsam zu zerstören gesucht und die sich inzwischen bei weitem nicht so erholt hatte, wie ich es mir nun gewünscht hätte.

Es erschien mir in diesem Augenblick das Bild vom lesenden Greis, dem auf seinem Sterbebett das eigene längst entschwundene Gedächtnis wiederkehrt in Gestalt einer wunderschönen jungen Frau, die freilich eine ihm völlig unbekannte und in seinem Gedächtnis nie gewesene Frau ist.

Dennoch, einmal vor die Wahl gestellt, entweder in einem reißenden Strudel von Selbstverleugnung unterzugehen oder aber der unfaßlichen Fee meines Vergessens die Stirn zu bieten, wenn es auch nur eine sehr verwirrte Stirn sein mochte, entschied ich mich für das letztere und beschloß, Lea für eine Lügnerin zu halten.

Nie habe ich mit letzter Gewißheit herausfinden können, woher Lea zu mir gekommen ist, welche Umstände dazu führten, daß sie eines Tages nach mir geschrien und meine Nähe so verzweifelt gesucht hatte – manchmal dachte ich: vielleicht hat sie Dr. W. auf dich »angesetzt« ... aber wozu? Um mich endgültig in seine Arme zu treiben, damit ich als sein Patient ihm restlos unterliege? ... Oder hatte etwa S. ihre Hand im Spiel, hatte sie Lea selbst zu ihrer Nachfolgerin bestimmt und mir ins Haus geschickt? Nein, auch das war kein vernünftiger Verdacht. Einzig das Ungewisse selbst verfügte über genügend Indizien: die Zeit, in der ich mit S. zusammen war und wir nichts, gar nichts anderes taten als zu reden und immer weiter zu reden, bot sich nun der nachforschenden Erinnerung dar als die Leere und das Allesmögliche zugleich, das weiße Papier und die darüber schwebende Masse alles Ungeschriebenen, in der der Autor selbst sich verborgen hält. Nun aber war Lea eingetroffen, eine Unbekannte, Fremde, hatte mit ihren energischen und akkuraten Erfindungen (und mithilfe ihres blauen Notizbüchleins voller »Gedächtnisstützen«) die Autorenschaft über meine Zeit mit S. übernommen und schrieb sich unbeirrbar an die Stelle meiner verlorenen Freundin, die keine Spur hinterlassen hatte oder eben doch vielzuviele Spuren, als daß sie sich zu einer einheitlichen Schrift hätten festigen können. Wie sollte ich mich dagegen zur Wehr setzen? Leas Lügen und Fantasiegeschichten respektierten stets den Bereich des Wahrscheinlichen, niemals ließ sie sich bei einer nachweislich falschen oder unmöglichen Angabe ertappen. Stieß sie dennoch im Lügen auf eine hinderliche Tatsache oder geriet sie in die Nähe eines Widerspruchs, so behalf sie sich, indem sie konsequent weiterlog und die Bruchstellen mit neuen, zusätzlichen Erfindungen wiedereinrenkte. Dieses harmonische System sich unendlich fortzeugender Lügen, in dem alles sich aufklärte und zu einer lückenlosen Beweiskette verband, war durch nichts zu erschüttern oder in Frage zu stellen; es war ganz einfach das »System Lea«, das sich völlig gleichberechtigt neben anderen Aussagesystemen behauptete.

Ich zeigte Lea das Überweisungsblatt der Kopenhagener Bank und fragte sie, wer uns, ihrer Meinung nach, jeden Monat diese tausend dänischen Kronen schenke. Nun, antwortete sie ohne Zögern, das kommt doch von unserem dänischen Mäzen, der unser Werk unterstützt.

So? Und wie kommt es, daß dieser Herr mich »mein Liebster« nennt?

Weil er nicht recht gut deutsch kann; er hat sich ein bißchen zu zärtlich ausgedrückt, nicht wahr?

Nein, schrie ich, er hat sich nicht zu zärtlich ausgedrückt, überhaupt nicht hat dieser Herr sich ausgedrückt! Das Geld kommt nämlich von S.! Von meiner Freundin S.!

S. ... S. ...! Immer diese S.! Wer soll denn das bloß sein?

Sie behandelte mich, als litte ich, S. betreffend, an einer störrischen Einbildung, obschon ich ihr doch oft genug von dieser Freundschaft erzählt hatte. Wer ist S.? rief sie mich aufrüttelnd an und versuchte wieder, mich zu ihrem Patienten zu machen. Doch ich hatte bereits aufgegeben und schwieg stumpfsinnig vor mich hin.

Und so errang das System Lea über mich einen Sieg nach dem anderen ...

4

Meine Schwerfälligkeit, Lea, ach, und mein Gelesenes!

Der Text, den ich schrieb, verachtete mich nun ...

Aus dem nichtssagenden Schlummer in die höchste Erregung der Angst gewiegt: ich seh dich nicht mehr! Im Aufwachen das Gefühl, zwischen den Beinen unter der Decke ... fädenziehende Coldcreme. Brühende Luft, in der die Dinge aus Fleisch und aus Holz sich lösen und mischen. Näher kamen wir uns, als die Haut es erlaubt. Meine weichen Lippen, geformt nach deinem Mund, machen eine fremde Bewegung in meinem Gesicht, jetzt, wenn ich spreche ...

Dieser Text hat Mitleid mit mir, jener aber verachtet mich, mag ihn nicht lesen.

Was wir einmal gelesen haben, sagt Lea, steht nicht mehr in den Büchern. Und so reißt sie jedes heruntergelesene Blatt aus dem Bund und wirft es weg. Ritsch, ratsch.

Offen gestanden, zu schreiben begann ich in der Absicht, mich vor Leas Lügendiskurs zu schützen. Ich wollte um mich herum etwas Festgelegtes und persönlich Signiertes schaffen, das man mir nicht eines Tages wieder ausreden und streitig machen konnte. Ich dachte immer: zu schreiben wirst du vielleicht mal beginnen aus einer Altersschwäche heraus, wenn du dein Vergnügen daran findest und grinsend und kichernd deine Sätzchen drehst. Nun ging es aber schon sehr viel früher los und diente nicht zu meiner Zerstreuung.

Ich kramte meine alten ›Notizen zur Wunschangst‹ hervor, die ich gesammelt hatte, vor meiner Zeit mit S. Vor allem war es wohl das Wort »Wunschangst«, das mich ermutigte, auf diese liegen gebliebenen Aufzeichnungen zurückzugreifen. Irgendwie hatte ich das Gefühl, als sei dies ein sehr verfrühter Begriff, der lange Zeit nichtssagend auf seinen Sinn gewartet hatte, den erst die Erfahrungen mit Lea ihm tatsächlich zuschreiben konnten.

Aber was mochte ich mir unter dem Wort vorgestellt haben, als ich es zum ersten Mal verwendete?

Als ich die ersten Notizen las, rief ich bestürzt: Wer um Himmels willen hat mir das in mein Buch geschrieben?! Da standen lauter zugespitzte Bemerkungen, Paradoxe, schnittig und trickreich, wie sie sich haufenweise in den Kulturberichten unserer Tageszeitungen finden, deren Verfasser unter Todesverachtung des alleszerfressenden Schreibens ihre Witze spendieren, um sich und ihre Kollegen bei Laune zu halten. Ich habe immer schon befürchtet, von einer in mir lauernden heimtückischen Dummheit eines Tages überfallen und zu Boden geschleudert zu werden. Und nun sah ich, daß diese Dummheit in mir bereits damals ihr schreckliches Plappermaul aufgerissen hatte, um zeitgenössische Gedankenblitze auszusenden, wie etwa den folgenden, der sich offenbar an der Absatzkrise im Ruhrkohlebergbau(!) entzündet hatte ... »Die Kohlenhalden, die kranken Riesen, schieben sich schon bis vor die Haustüren der Bergleute! ... Ein Satz wie auf Schmirgelpapier geschrieben ... die kranken Riesen vor den Haustüren der Bergleute« ... tsss! Was für ein trüber Schwindel! (Es tut mir gut, wenn ich mich über das damals Geschriebene lustig machen kann. An das, was ich jetzt – ich weiß nicht wann? – schreibe, werde ich gewiß für immer mein Gesicht verloren haben, sobald das letzte Blatt gefüllt sein wird. Und dann werde ich für meinen eigenen Spott nicht mehr sorgen können ...)

Ich blätterte verdrossen weiter in dem verkrümmten Notizbuch; viele Seiten hatten sich gebogen unter dem Druck meines Bleistifts, den es zweifellos zur Gravur gedrängt hatte, wie es sich für diese einsamen Kernsätze auch gehörte. Dann aber stieß ich plötzlich auf ein flach gebliebenes Blatt, das von einer ruhigen, gedehnten Schrift gleichmäßig berührt worden war, und aus dem abgeschiedenen Gewässer dieser Schrift, stehend und fließend in einem, tauchte, wie mein zweites Gesicht, das Bruchstück einer theoretischen Vermutung auf, lockend und warnend, schwerverständlich und einleuchtend, der geborene Anfang einer jahrewährenden Forschungsarbeit. Die Eintragung, die mich beunruhigte, stand völlig unverbunden in dem kleinen Buch, zwischen verknitterter Verzweiflung auf der vorangehenden und bedenkenlosem Übermut auf der folgenden Seite. Sie erschien ganz selbständig, in Geduld gefaßt und brach wieder ab, gewährte sich ein merkwürdig frühreifes Verschweigen. Sie lautete folgendermaßen: »Was ich auch schreibe, es schreibt über mich. Ich schreibe unaufhörlich den Fremden, der mich bedroht. Was ich schreibe, weiß, wer ich bin, weiß auch Bescheid über mein künftiges Ende, und jedermann kann in meinem Geschriebenen lesen über mich, wie die alten Weiber im Kaffeesatz, nur ich nicht. Ich nicht, ich kann es nicht lesen; versiegelt die Bedeutung, übersehen die Warnungen in jeder Zeile. In jedem

Wort, in jedem Satzverlauf steht etwas über mich, und ich bekomme es nicht zu erkennen. Erst ganz am Schluß, wenn die Katastrophe schon eingetreten ist, wüßte ich wohl zu sagen: da und dort erschienen die ersten Anzeichen, dies und das deutete bereits darauf hin. Aber dann, am Ende, vermischt sich ohnehin alles, das Erkennen und das Geschehene zu einunddemselben Geräusch von regenüberströmtem Papier im Sommerwind ... Ich bin nirgendwo auf der Welt etwas Fremderem begegnet als einem von mir zustandegebrachten Aussagesatz.«

Nun begann ein sich überschlagendes Planen und Spekulieren. Meine bevorstehende Studie, soviel stand bereits fest, würde sich mit jenen riskanten Grenzfällen des Schreibens beschäftigen, in denen eine luststeigernde Angst und eine angsterzeugende Lust zur höchsten Bedrohung des schreibenden Autors führen, untersucht an zentralen Texten und Selbstzeugnissen der von mir bevorzugten Autoren. Angst und Begeisterung, jawohl, darum sollte es gehen, die sich jagenden Empfindungen des Autors kurz vor seinem Verschwinden, kurz vor der Niederschrift. Wie einen Fruchtknoten, aus dem sich alles folgende auf ganz natürliche Weise entwickeln würde, kostete ich auch schon den Titel meiner Arbeit auf den

Lippen: ›Theorie der Drohung‹ ... Alle späteren Ausführungen sollten vom Anspruch dieser kraftvollen Überschrift beflügelt werden, obschon ich mir nicht einbildete, daß mir am Ende mehr als einige verstreute Ansätze zu einer solchen Theorie gelingen könnten. Jedoch im ersten Ansturm zahlloser Einfälle und Argumente gab es keine Richtung meiner künftigen Studie, keine Tiefe und keine Querverbindung, die ich nicht in wenigen Sekunden durchmessen und in ihrer Problemlage in gewisser Weise sogar bereits geklärt hätte. Allerdings mußte ich mir bald eingestehen, daß zur seriösen Behandlung dieses Themas meine Kenntnisse in Psychoanalyse mir entweder zu wenig präsent oder aber an sich nicht ausreichend vorhanden waren. Schließlich ging es um nicht mehr und nicht weniger, als dem Schreiben sozusagen ein primäres Triebgeschehen nachzuweisen (im Gegensatz zu der Auffassung vom abgeleiteten, sublimierten Charakter der Kulturarbeit), ihm einen autonomen Rang zwischen Lieben und Töten zu bestimmen. Eine solche aus privaten und gelesenen Erfahrungen inspirierte These läuft natürlich immer Gefahr, sich bei näherer wissenschaftlicher Überprüfung als grober Unfug und nicht als kühner Erkenntnisumsturz herauszustellen. Um mich nicht in tödlichen Fehleinschätzungen zu verrennen, mußte ich mich zunächst allen verfügbaren Informationen, die mein Thema berührten, bereitwillig eröffnen und mit meinen eigenen Neuigkeiten hinter dem Berg halten. Mein erster tätiger Schritt in der Sache wurde also, daß ich die Lektüre einiger früher Arbeiten Freuds aufnahm. Doch sogleich, als ich die wunderbare Fallgeschichte über die Dora mit der tussis nervosa und dem fluor albus las, begann ich mich viel mehr als für die wissenschaftliche Praxis für die Schreibweise des Erzählers Freuds zu interessieren. Die gemessene Art der Darlegung von abenteuerlichen Erkenntnissen, erstmaligen Einsichten las sich wie die unüberschreitbar innerste Reflexion, zu der die Geschichte des bürgerlichen Erziehungsromans vorgedrungen war. Und, als hätte sich der Autor gesagt: das, was sich mir hier enthüllt, ist zweifellos so revolutionär, daß ich es nur im Stil größtmöglicher Zurückhaltung und umständlicher Sorgfalt der Öffentlichkeit unterbreiten darf, ich muß jeden Eifer und die eigenen Ängste, denen ich doch schließlich meine Forschungsergebnisse verdanke, vom Schreiben vollständig ausschließen; ich darf nichts stürmisch beweisen wollen, keine brüsken Polemiken führen; wenn ich den Verlauf meiner Sätze nicht ganz genau beherrsche, so werde ich mir auf einen Schlag jede sachdienliche Wirkung verscherzen. Es stand für mich fest, daß Freud als Autor zu meinem Thema gehörte und daß das erste Kapitel der ›Theorie der Drohung‹ von ihm handeln würde; zumal mir das Gelegenheit bot, meine Methodik, eingangs an Freud selbst, dem Autor, zu erproben.

Bedauerlicherweise gelang es mir nicht, eine meinem Vorbild vergleichbare Zügelung der eigenen Begeisterung zu erreichen. Mein Interesse an dieser Arbeit schwärmte nach jeder beliebigen Richtung aus, fraß sich an den entlegensten Details fest, so daß ich befürchtete, wenn nicht sofort ein kleiner praktischer Anfang gemacht würde, könnte der ganze Enthusiasmus wieder erlahmen, ohne daß etwas zustande gebracht worden wäre. (Die Erlebnisstruktur der ewig folgenlosen Gespräche mit S. wirkte hier offensichtlich noch nach und mußte nun einfürallemal überwunden werden.) Ich zwang mich also dazu, einen Leseplan zusammenzustellen, erwog aber zu diesem Zeitpunkt bereits, mit welcher Startauflage und in welchem Verlag überhaupt meine Studie demnächst erscheinen könnte.

Um Lea, die mein rastloses Sinnieren, meine kleinen Entzückungsexplosionen stillverwundert zur Kenntnis nahm und sehr wohl wußte, was sich in mir anbahnte, kümmerte ich mich in diesen Tagen überhaupt nicht. Sie war jetzt schon so gut wie nicht mehr vorhanden. Einmal, als sie mir vom Fenster her entgegentrat, wies ich sie ab mit den Worten: »Dreh dich nur um, Lea, und sieh wieder hinaus. Alle Wege führen nun fort von dir.« Sie fluchte ganz ruhig, als stände ihr eine lange Zeit zu trauern bevor: »Ich wünschte, das allerletzte Kapitel deiner Arbeit würde nur vom Verscheuchtsein handeln. Wie du von deinem Geschriebenen verscheucht wirst. Stell dir vor, die Tür, durch die du täglich ein- und ausgegangen bist, wird am Ende plötzlich riesengroß, ein Tor zur Wüste, und du wirst mit einem Fußtritt hinausgeschleudert und du läufst davon, in der Wahnsinnsfurcht, ein Däumling zu sein und von einer Wüstenmaus aufgefressen zu werden ...«

Darauf erwiderte ich nichts, packte meinen Leseplan ein und verließ das Haus. Ich fuhr mit dem Bus nach F. und verschwand in der Universitätsbibliothek. Dort saß ich von nun an jeden Tag sieben bis acht Stunden im Lesesaal und lieh abends noch ein halbes Dutzend Bände aus, die ich mit nach Hause nahm. Ich machte ausführliche Exzerpte, ließ in meiner Handschrift Tausende von schon einmal gedruckten Zeilen neu entstehen, und es wurde bald eine solch umfangreiche Sammlung von Abschriften und Zitaten, daß ich mir darüber ein eigenes Stichwortverzeichnis anlegen mußte, um sie verwendbar zu machen.

Nach einigen Monaten begann ich zu schreiben. Ja, ja, rief ich Lea zu, auch ich muß mich irgendwie ausdrücken! (Lea legte sich übrigens am selben Tag noch mit einer fiebrigen Erkrankung zu Bett. Ich dachte, so will sie dich jetzt ablenken, und sorgte mich nicht um sie. Ich beobachtete aber nebenher, wie liebevoll sie sich selber zu pflegen verstand ...)

Ich kam so schwungvoll und reibungslos voran, daß ich beim Schreiben hätte singen mögen. Plan und Konzept meiner Arbeit waren offenbar so geschickt und spannend angelegt, daß sich die Aussicht auf ihre Vollendung von Satz zu Satz befreiender, hinreißender darbot. Die Sprache, die ich schrieb, trat aus dem engen Nabelgewinde meiner passiven, ichgefälligen Reizbarkeiten hervor, zuverlässig und volltönend berichtete sie von mir weit entfernten Tatsachen und Erscheinungen, die ich zuvor nie auszusprechen gewagt hätte. Ich sagte mir: jetzt hast du endlich den Durchbruch erzielt, den langersehnten Durchbruch, die Geburt einer Schriftstellernatur nach den schmerzhaften Wehen des Vergessens und des Belogenseins. (Wobei das Gefühl für das Wort »Durchbruch«, meinem Thema entsprechend, doppelt besetzt war: von der Lust, aus dem eigenen Kopf auszusteigen, so wie Blumen die Erdkruste durchbrechen; von der Angst andererseits vor dem organischen Riß, der penetrierenden Geschwulst beim Magendurchbruch ...) Im Laufe des Schreibens hatte ich mich mehr und mehr von den Exzerpten frei gemacht, vermied es auch, soweit es eben ging, Zitate zu gebrauchen, denn in der schönen gleichmäßigen Strömung meines Textes hätten die lästigen Anführungen wie Klippen und Riffe gestört. Die notwendigsten Belege wollte ich zum Schluß in einem Anmerkungsapparat versammeln. Darüberhinaus war ich überzeugt, daß ich eine viel zu eigenwillige Diktion gefunden hatte, als daß mir immerzu »fremde Stimmen« hätten dazwischen reden dürfen.

Nach zehn nahezu schlaflosen Tagen und Nächten hatte ich das Freudkapitel beendet und war dabei, den nächsten Abschnitt meiner Studie einzuleiten, in dessen Mittelpunkt eine Analyse des Klingsohr-Märchens aus Novalis' ›Ofterdingen‹ stehen sollte. Da versetzte mir plötzlich eine Bemerkung, die ich gerade niedergeschrieben hatte, einen gewaltigen Schreckensstoß; es hieß dort: »Die spitzen Bruchstücke eines zerschlagenen Lustsystems verschoben sich mit dumpfem Getöse ineinander wie die Eisschollen auf Caspar David Friedrichs Gemälde ›Die gescheiterte Hoffnung‹ ...« Dieser Satz stammte nicht von mir! Ich kannte ihn aus einem anderen Zusammenhang. Unruhig schlug ich in meinem Zettelkasten unter »Lustsystem« nach und fand zu dem Autorenstichwort »Artaud« denselben Satz, nahezu wortgetreu, in meiner Handschrift notiert, dem eben geschriebenen zum Verwechseln ähnlich, nur die Ausschmückung »mit dumpfem Getöse« war von mir neu hinzugefügt worden, das war mein einziger persönlicher Anteil an dieser Formulierung, die im übrigen einer Kommentarnotiz der ›Neuen Zürcher‹ Zeitung zum Abdruck von Artauds ›Brief an den Bischof von Rodez‹ entnommen war ...

Wie konnte mir so etwas passieren? Unbewußt, unbewußt, plapperte ich kopfschüttelnd vor mich hin. Doch ein bohrendes Mißtrauen hatte mich nun gepackt, und ich blätterte ängstlich in meinem Geschriebenen zurück, las noch einmal das erste Kapitel. Ich muß sagen, nach der schockierenden Fehlleistung, die ich mir soeben nachgewiesen hatte, konnte ich die überschwengliche Achtung, die ich bis dahin für meinen Text empfand, nicht länger aufrecht erhalten; mit einem Mal zeigte sich nichts mehr von dem, womit ich mir geschmeichelt hatte: sein stolzes und wohlklingendes Dahinfließen war nicht wiederzufinden. Er las sich im Gegenteil eher unausgeglichen, um nicht zu sagen: holperig und zusammengestückt. So betulich die einzelnen Sätze in sich durchgeformt sein mochten, in ihrer Abfolge stauten sie auf und, laut gelesen, gingen sie unter in schwerfälligem Gewürge.

Kurz darauf stieß ich schon wieder auf eine Formulierung, an deren Originalität sich sofort Zweifel meldeten. Es war dort die Rede von der Autorenrolle des Analytikers, der seiner Patientin ihren Fall in Form einer Schlüsselgeschichte vorerzählt: »Und was wäre, wenn er (der Analytiker) jetzt eine solch schmerzhafte Wendung der Geschichte herbeiführte, daß Judith (seine Patientin) schreiend durch die Zimmer liefe?«

Ja, wahrhaftig, was für eine schmerzhafte Wendung in der Geschichte meiner ›Theorie der Drohung‹, als ich herausfand, daß diese Judith mitsamt der sie umgebenden, erzähltechnisch pointierten Formulierung zum ersten Mal in den zwanziger Jahren aufgetaucht war, in einem deutschen erotischen Trivialroman, und wiederum – unbewußt, unbewußt! – geringfügig verändert von mir übernommen worden war. Ich hätte wirklich schreiend durch alle Räume laufen mögen und ich schrie schließlich auch, als sich nach weiteren Stichproben herausstellte, daß ich im ersten Kapitel ganze Abschnitte, ja, ganze Seiten in flüssiger, nahezu wortgetreuer Wiedergabe fremder Autoren abgefaßt hatte. Plagiate, schrie ich, Plagiate, das sind ja lauter Plagiate. Lea! Ich habe nicht einen einzigen selbständigen Satz zuwegegebracht. Ich bin der unbeholfenste Schriftsteller aller Zeiten, ein ahnungsloser Abschreiber, ein Kopist! Was für ein hinterhältiges, gemeines Gedächtnis beherrscht mich! Löscht in mir aus, flüstert mir ein, was immer ihm gefällt. Was für eine böse, böse Maschine! Und ich, ich, diese Null-Person, diese Durchgangsstation aller möglichen Literatur, ich bin einfach nicht lebendig genug, um diese teuflische Maschine zu stürmen und zu zerschlagen. Lea, komm bitte und hilf mir ... Lea, die im hohen Fieber am ganzen Körper zitterte, stand vor dem Garderobenspiegel und versuchte ihr Gesicht zu schminken. Sie hatte ihre bleiche Haut bis ans Schlüsselbein mit einem zartblühenden Rosa belegt, sich dunkelgrüne Schatten unter die Augen gemalt und ein fettes Grünschwarz den Lippen aufgetragen, ein Gesicht voller Tod und Leben. Ihre Haare hatte sie aus der Stirn gehoben und über den Schläfen mit silbernen Spangen aufgesteckt. Sie zog sich an, ihr zerschlissenes Chiffonkleid, ebenfalls grün, lindgrün, das sie immer trug, tagtäglich, seitdem sie mir aus der Klinik von Dr. W. gefolgt war ... Und in diesem Augenblick wußte ich, daß ich als Autor nur eine Chance hatte: ich mußte über Lea schreiben. Jedes andere Thema würde unvermeidlich immer wieder zu gestohlenem Schreiben führen.

So, sagte sie und drehte sich zu mir um, dieses Schreiben und ich, das war ja ein Messerduell im Finstern, nicht? Jetzt wollen wir aber mal hinausgehen nach Cornwall ...

Nach Cornwall? Das ist aber nicht hier, Lea –

Nein, das ist drüben in England.

Und dein Fieber?

Das vergeht gewiß unterwegs, wenn wir mit dem Flugzeug fliegen, komm nur!

Post disaster utopia, dachte ich und wollte sogleich beginnen darüber zu schreiben.

5

In London begegnete ich zum ersten Mal Menschen, die Lea kannten. Und gleich so vielen, daß ich annehmen mußte, Lea sei hier eine stadtbekannte Berühmtheit. Es war jedenfalls ein dauerndes Sich-in-den-Armen-Liegen, als wir in Kensington herumspazierten, und auch ich, die komische Null-Person auf Reisen, wurde begrüßt und willkommen geheißen von diesen freundlich achtlosen Leuten, alle ein bißchen über dreißig, die sich mal bei Lea, mal bei mir einhängten, uns eine Weile begleiteten, seufzten und lächelten, schließlich von irgendeinem Musikstück sprachen, das sie sofort unbedingt hören wollten, und sich dann wieder von uns lösten. Ein merkwürdig wohltuendes Kommen und Gehen unbekannter Freunde, eine Bewegung wie in jemandes spätester Lebenserinnerung. Obwohl mir alle diese Leute als Informanten hätten dienen können, um mir Aufklärung über Leas Vorleben zu verschaffen, kam es mir unzulässig vor, sie aus dem Schlummer der selbstverständlichen Begrüßungen zu reißen, indem ich sie etwa gefragt hätte: »Könnt ihr mir nicht sagen, wer dieses Mädchen ist, mit dem ich hier über den Portobello-Markt ziehe?« Das zu erfahren war mir zu diesem Zeitpunkt nicht wichtig. Aus einem Wettbüro kam uns ein schmaler langer Bursche nachgelaufen, der einen abgewetzten und mit Eidotter beklekkerten schwarzen Cordsamtanzug trug, ein Amerikaner, der Lea siebzig Pfund in die Hand gab, weil er ihr angeblich noch Geld schuldete. Lea nahm es ohne jede Bemerkung an sich, während der Amerikaner sich an mich wandte und sagte, sie seien in letzter Zeit alle ein bißchen schüchtern geworden, es sei so etwas wie eine Übergangszeit, jetzt würde von allen Leuten fast nur noch Musik gehört, und es wäre besser, wenn jemand wie Don da sei, der einem ein paar frische Gedanken ins Hirn bläst; denn wenn man selbst, für sich allein anfinge nachzudenken, da käme doch nur ein Spleen heraus, und mit so einem einzelnen Spleen liefe ja heute schon fast jeder herum. Dann fragte er Lea, ob sie etwas vom alten Don gehört habe. Nein, antwortete Lea, ich habe nichts von Donald gehört. Ich lebe jetzt in Westdeutschland. Daraufhin sah mich der Amerikaner mit blödsinnigem Respekt an, er genierte sich anscheinend wegen seines sorglosen amerikanischen Geredes und erkundigte sich bei mir, allen Ernstes und auf deutsch, nach dem gesundheitlichen Befinden von Ernst Bloch. Bevor ich dazu irgendetwas sagen konnte, hatte Lea ihn gefragt, ob er uns seinen kleinen Austin für ein paar Tage ausleihen könne. Dafür wolle sie ihm die siebzig Pfund zurückgeben. Offenbar hatte Lea keine Ahnung, was siebzig Pfund eigentlich wert waren, die Scheine galten ihr einfach als beliebiger Tauschgegenstand unter Freunden. Es konnte natürlich auch sein, daß diese absurde Zirkulation des Geldes zwischen den beiden für mich nur zum Schein arrangiert worden war, aus welchen Gründen auch immer ...

Jedenfalls war der Amerikaner einverstanden, nahm das Geld zurück und fuhr uns seinen Austin vor.

Als wir aus London herausgefunden hatten, sagte Lea, die am Steuer saß, sie habe in diesem Auto früher einmal die Schlüssel für eine Fischerhütte in Cornwall, in der wir hübsch wohnen könnten, liegen gelassen. Sie habe das Gefühl, diese Schlüssel müßten hier noch irgendwo zu finden sein. Sie bat mich, danach zu suchen. Und tatsächlich fand ich diese Schlüssel auch, sie klemmten zwischen Rücksitz und Seitenwand. Warum Lea, willst du mir diese Reise, die du doch offenbar sorgfältig vorbereitet hast, als Kunststück der freien Improvisation vortäuschen? Ich täusche überhaupt nichts vor, erwiderte sie gereizt, nichts habe ich geplant. Du weißt wohl nicht, daß über London der günstige Zufall herrscht? Für mich und meine Freunde jedenfalls herrscht er dort.

Es mag daran gelegen haben, daß ich mich längere Zeit nicht mit Lea beschäftigt hatte, sonst wäre mir diese dämliche Frage nicht in den Sinn gekommen. Es war immer dasselbe: Lea bemühte sich, mit ihren kleinen Wundern mich zu überraschen und ins Staunen zu versetzen, und mir fiel nichts besseres ein, als ihr plump ins Gesicht zu sagen, daß ich ihr auf die Schliche gekommen sei. Ich hatte das System Lea offensichtlich immer noch nicht kapiert. Ein Glück, sagte sie freudig, jetzt haben wir die Schlüssel und brauchen nicht im Hotel in Lizard zu wohnen. Die Hütte ist in Wirklichkeit ein kleines Haus mit festen Mauern aus Stein. Wir haben es recht hübsch eingerichtet. Es gibt sogar fließendes Wasser. Strom allerdings nicht. Nur Gas in Flaschen. Und Petroleumlampen. Man hört nachts das Meer. Die Hütte liegt aber nicht direkt am Meer. Und einen Strand gibt es dort auch nicht ...

Wann war Lea in England? Mit wem hatte sie sich das Haus in Cornwall eingerichtet? Ich hütete mich, sie zu fragen. Gewiß hätte ich das gewohnte Orakel zur Antwort bekommen: »Mit dir! Hast du es etwa vergessen?« »Ich« – ich war die ständige Pointe dieser nicht geheueren Witze, ich war aller meiner Rätsel Lösung.

Aber diesmal nicht, diesmal kam es ganz anders.

Als wir das Dörfchen in der Nähe von Lizard erreichten, war es stockfinster, ich konnte überhaupt keine Ortschaft erkennen, keine Straßenbeleuchtung, nirgendwo mehr Licht in einem Haus oder einer Kneipe. Die Einwohner lagen wohl alle schon zu Bett. Nur in jener Hütte, in der wir wohnen wollten, die etwas abseits lag, auf dem Weg zu den Klippen hinauf, dort sah man ein erleuchtetes Fenster. Die Hütte war also bereits belegt. Und das stand ganz zweifellos nicht in Leas Konzept. Sie wurde sehr unruhig, bremste den Wagen derb und tottretend, so daß wir noch einen Sprung auf den Graben zu machten. Dann liefen wir bis auf etwa hundert Meter zur Hütte hinauf, dem Ziel unserer Reise. Von dort sahen wir im Fenster einen jungen Mann mit einer breiten Kraushaarmähne, der sich über einen Tisch beugte und beim Schein einer Öllampe mit einer mir unbekannten Gleichmäßigkeit auf Papier schrieb. Don, sagte Lea und verlor ihre Stimme. Sie zog mich am Arm zurück. Mein Gott, das ist Don ... Sieh nur, Don ist nach Hause gekommen! Laß uns gehen, wir können hier nicht wohnen, laß uns gehen, verstehst du?!

Sie empörte sich gegen mich, als hätte ich darauf bestanden, unter allen Umständen in der Hütte Quartier zu nehmen. Ich war jedoch viel zu müde, um überhaupt etwas zu begreifen, geschweige denn einen Willen durchzusetzen. Lea drehte sich um, zog mich mit, wir liefen zum Auto, und sie fuhr zurück nach Lizard, aufgelöst in Heulen und Lachen, und immer wieder schlug sie ihre Stirn fassungslos gegen das Steuer. So erlebte ich Leas erste heftige Erschütterung, die nichts mit mir zu tun hatte. Und ich muß zugeben, daß ich das zunächst als ein willkommenes Atemholen in unserer etwas überanstrengten Verbindung empfand. Zu diesem Zeitpunkt liebte ich Lea wohl immer noch nicht ...

Nachdem wir in Lizard ein Hotelzimmer gefunden hatten und uns auf unseren Betten ausstrekken konnten, beruhigte sich Lea ein wenig und bat mich, eine Erklärung von ihr anzuhören.

Don, begann sie, ist der ganz Andere, im Vergleich zu dir. Als ich mich damals von dir getrennt habe, im Februar 1970 (in mein System übersetzt hieß das: Abschied von S. in eben diesem Monat ...), so geschah es, weil ich mit Don zusammen sein wollte. Don war in England einer der führenden Radikalen in der Studentenbewegung, und ich habe mit ihm zusammen die politische Arbeit kennengelernt. Es war eine Zeit, in der ich viele, viele Freundschaften schloß und sehr, sehr wichtige Dinge erlebte. Wir haben oft in diesem kleinen Haus in Cornwall gewohnt. Don hat dort seine Reden vorbereitet und Organisationspapiere verfaßt. Und ich habe ihm dabei geholfen, denn ich hatte ziemlich schnell gelernt, mich kampfgerecht auszudrücken, und war bald noch geschickter darin als er. Eines Tages aber erhob man gegen ihn den Verdacht, in London an einem Banküberfall beteiligt gewesen zu sein. Ein absurder und gemeiner Verdacht, wie du dir denken kannst. Aber das Innenministerium hatte den offiziellen Auftrag gegeben, ihn kriminell zu belasten, damit die Polizei gegen ihn vorgehen konnte und um überhaupt der ganzen Bewegung die Ehre abzuschneiden. Es wurde eine Großfahndung auf ihn angesetzt, doch sie erwischten ihn nicht. Er war verschwunden, irgendwo untergetaucht. Ich weiß nicht warum, aber er wollte keinen Prozeß. Immerhin haben sie dann mich gefaßt und festgenommen. Eine Woche lang wurde ich verhört und gefoltert. Ja, gefoltert; nicht an den Beinen gezerrt oder so, nein, sie haben mir einen Tee zu trinken gegeben, in den irgendein Mittel gemischt war, so daß ich am ganzen Körper dicke große Warzen bekam! Sie wollten mich als Frau treffen, sie wollten mich verunstalten! Natürlich habe ich ihnen nichts gesagt. Ich wußte ja leider selber nicht, wo Don sich aufhielt. Als ich wieder draußen war, habe ich ihn gesucht und gesucht, überall. Aber er hatte überhaupt keine Spuren hinterlassen. Ich vermutete, er habe sich nach Algerien abgesetzt und ich würde ihn nie wiedersehen. Ich hatte einen fürchterlichen Zusammenbruch, ließ mich gehen und machte allerlei unüberlegtes Zeug. Davon will ich jetzt nicht sprechen. Irgendwie hatte ich das Gefühl, Don ist für immer aus meinem Leben verschwunden. Und als ich dann ganz, ganz erbärmlich allein war, kam mir dauernd dein Name auf die Lippen, wie von selbst, ich plapperte immerzu deinen Namen vor mich hin, ich weiß auch nicht warum. Und auf der Reise nach F. habe ich laut nach dir gerufen ...

Leas schmerzgetönte, halblaute, vorandrängende Redeweise, ihre schutzlose Unruhe, die sich sogleich auf meine Magennerven übertrug, ließen mich diesen Don als ein unbezweifelbares Datum in ihrer Geschichte empfinden. Obwohl ich es unbegreiflich fand, daß auch dieser Bericht, der mir einen weit entfernten Menschen vorstellte, wie zwangsläufig, wie magnetisch angezogen, am Ende wieder in jene Sphäre einmündete, die mich umgab, ein Sphäre, die Lea mir inzwischen zur Undurchsichtigkeit verdunkelt hatte. Sie müsse jetzt gehen, sagte sie nach einer Weile, sie hielte es nicht länger aus. Sie müsse Don sehen.

Sie blieb jedoch auf ihrem Bett liegen und erst als sie ihre Ankündigung, zu gehen, mehrere Male wiederholt hatte, ging sie tatsächlich ...

Ich saß eine ganze Nacht lang über das Waschbecken gebeugt in diesem feuchten, niedrigen Hotelzimmer und rauchte, rauchte immerzu.

Ich dachte an den »ganz Anderen als ich«, an Don, den Lea mit wenigen Worten in mein Leben eingeführt und mir beunruhigend nahe gebracht hatte. Der ganz Andere als ich wäre ich schon immer gerne selbst gewesen, und Lea kannte nun so einen, hatte ihn sogar geliebt wie mich, und dadurch auf unauflösliche Weise mit mir verbunden. Ich spürte, wie mich plötzlich die Eifersucht überfiel. Was hatte ich gegen einen politischen Anführer aufzubringen? Was stand bei mir anstelle von Kampfbereitschaft, Leidensfähigkeit, Erbitterung und Vernunft? Was konnte ich gegen seine Tugenden anderes erheben als die Brandreste meines gescheiterten Schreibens?

Eine ganze lange Nacht blieb mir, in der ich hin- und herüberlegte, ob Lea zu mir zurückkommen würde oder nicht; ich zählte alles um mich herum nach gerade und ungerade ab; vier Handtücher: sie kommt zurück, sieben Flecken von zerdrückten Fliegen an der Wand: sie kommt nicht. Die Geschichte konnte so oder so ausgehen, es gab nicht die geringste »Gewißheit des Gefühls«, von der man so oft schon gehört hatte.

Ich dachte für einen Augenblick an den alten Fontane, der von seinen Büchern gesagt haben soll, schließlich hätte er das alles auch ganz anders schreiben können ...

Es wurde Tag, oder zumindest wurde draußen der undurchdringliche Nebel sichtbar, und Lea war nicht zurückgekommen ...

»Wo bist du, Licht, es ist morgen ... Dunkel vergeht der Morgen, ohne das Licht deiner Augen.« Ich rief schallend laut diese zwei Verse von Pavese, wie ein betrunkener Shakespeare-Rezitator in einem amerikanischen Western.

Sobald ich auf dem Flur den Morgenlärm des Personals hörte, stand ich auf, wusch mir den Mund aus und ging hinunter, um die Übernachtung für zwei Personen zu bezahlen. Dann spazierte ich ein bißchen zögernd auf der Straße vor dem Hotel hin und her und wußte nicht recht, ob ich noch einmal in die Rezeption gehen sollte, um mir die Abfahrtszeiten der Züge nach London sagen zu lassen. Da stand ich plötzlich unmittelbar vor unserem Austin und sah, daß Lea drin saß, vornüber aufs Steuer gelehnt, und schlief. Ich klopfte an die Scheibe, sie wachte sogleich auf und öffnete mir die Wagentür.

Ich möchte jetzt wieder weg von England, sagte Lea und gähnte. Eigentlich nur die festgeschriebenen Menschen kann man kennen, fügte sie hinzu, die, von denen wir in den Biografien lesen. An einem wirklichen Menschen erlahmt auch das geduldigste Interesse auf die Dauer. Er ist einfach ein zu großes Wissensgebiet. Findest du nicht?

Ich dachte, jetzt redet sie mir aber ganz schön nach dem Mund. Aber weshalb tat sie es? Vom ganz Anderen als ich war nun keine Rede mehr, Don war wie nie erlebt. Ich sah sie an, von der Seite, als wir schon wieder unterwegs waren: sie sah sehr müde aus, ein bißchen zerknittert, aber ohne einen großen Eindruck im Gesicht.

Jetzt war ich mir ganz sicher, daß ich über Lea

schreiben würde; und zwar nicht mehr, um mich gegen ihre Lügen zu schützen, sondern weil das Gefühl, Lea zu lieben, nichts anderes war als das Gefühl, ein Buch zu beginnen.

Am Tag nach unserer Heimkehr fuhr ich nach F., um alle ausgeliehenen Bücher, die von meiner gescheiterten Studie übriggeblieben waren, in die Universitätsbibliothek zu tragen. Am Rückgabeschalter stand vor mir ein sehr junger Student, aus dessen Bücherstapel eine Broschüre herausrutschte, die den Titel trug: ›Theorie der Drohung‹. Ich kann nicht sagen, daß mich das, nach allem, was ich bei meiner zurückliegenden Arbeit an Demütigungen einstecken mußte, besonders aufgeschreckt oder beschämt hätte. Ich bat den Studenten, mich einen Blick in das Bändchen werfen zu lassen. Dem Klappentext entnahm ich, daß der Verfasser, ein dem westdeutschen Kapital nahestehender Wirtschaftswissenschaftler, Mitglied des katholischen Unternehmerverbands, seine Freunde über Psychologie und Strategie organisierter Massenstreiks unterrichten wollte. Ausgerechnet diese Hetzschrift trug meinen Titel! Es war mir klar, daß ich diesen höhnischen Zufall als Anspielung auf die unausweichliche Totalität des politischen Bedeutens begreifen mußte, der sich selbst der abgeschiedenste Gedanke, die einfachste Nervenanspannung nicht zu entziehen vermögen.

Nicht daß ich je daran gezweifelt hätte: ich meine übrigens sogar, aus der Grundthese meiner Studie: kein Text existiert, der nicht Mehr über seinen Autor schreibt, als dieser von sich aus sagt; kein Text, der nicht Mehr zu verstehen gibt, als der Autor selbst darunter verstanden hat – ich meine, daraus folgt, daß dieses Mehr eines Textes in erster Linie von einer politischen Lektüre erschlossen werden kann.

Nun, mitunter will man das alles lieber nicht wahrhaben; wie soll man sich auch noch um die Lektüren und Bedeutungsfolgen seines eigenen, ohnehin kaum schreibbaren Textes sorgen? Ich beschloß deshalb, trotz meiner ekelhaften Entdeckung, an dem Titel ›Theorie der Drohung‹ festzuhalten und ihn auch für meine Geschichte über Lea zu benutzen.

6

Es gibt immer wieder Minuten, ja, halbe Stunden, in denen ich so plappernd schreibe, als sei Lea noch in meiner Nähe. In Wahrheit ist sie schon längst nicht mehr bei mir. Oder zumindest sehe ich sie nicht mehr in meinen Räumen. Ich hatte mir gewünscht, daß unser Zusammenleben die einmal erreichte Stimmung nie wieder verlieren würde, daß es zwischen uns immer so bliebe wie nach einer schweren Erschütterung, nach jedem getauschten Wort so verständnisstill wie nach einer schweren Erschütterung. Doch kann man nicht in Ruhe miteinander auskommen, wenn der eine sich entschließt, über den anderen zu schreiben, weil er darin und nur darin seine Liebe zu ihm zu erkennen vermag. Zwar kam es zwischen Lea und mir nie zu Streit oder auch nur zu geteilten Meinungen oder anderen unsinnigen Geräuschen. Aber eine vollkommene Lautlosigkeit, wie sie jede Liebesfreundschaft, wenigstens für Sekunden, kennt, wenn die Gesichter hilflos aneinanderlehnen, die gab es zwischen mir und Lea zu keiner Zeit. Denn alles, alles, was mit uns geschah, wurde von meinem Schreiben tönend gemacht, und Lea mußte fürchten, daß selbst noch ihre Blicke lärmten ...

Und jetzt, da ich mit dem letzten Abschnitt meiner Arbeit beginne, der zweifellos vom Verscheuchtsein handelt, wie Lea es beschworen hatte, jetzt weiß ich, daß sie den Sirenenrufen ihres Beschriebenwerdens nicht widerstehen konnte; ihr Körper, zusammenstürzend, kraftlos, aufgelöst zu Schrift, hat sich ganz in meine Obhut begeben, und so, mit mir vereinigt, hat sie auch mich zu einem anderen gemacht, dessen unentwegtes Schreiben nichts anderes zu erreichen sucht, als uns wieder zu teilen, die alte Trennung wiederherzustellen – damit wir uns wieder sehen können! Deshalb nur schreibe ich noch und werde immer weiter schreiben bis zum letzten Seufzer meiner Erinnerung.

Sappho spricht einmal den Charon mit den Worten an: »Du bist sanfter als gedacht«, und es ist mir jetzt unmöglich, diese Zeile richtig zu lesen, es ist mir unmöglich, sie nicht mißzuverstehen. Beharrlich verirren sich die Begriffe zu der Vorstellung einer allerfeinsten Zartheit, die nur noch von ihrer Auflösung an Zartheit übertroffen werden kann: du bist sanfter als ein Gedanke, fast so sanft wie nichts, doch davon gibt es keine Vorstellung, und so ist jener Vergleich mit dem Gedanken der letztmögliche überhaupt. Ohne das von Lea verursachte Mißverständnis ist der Sinn dieser Zeile ganz einfach der: du, Tod, nimmst mich gewaltloser als ich es befürchten mußte. Aber für mich heißt das eben: du, Lea, warst sanft in der Art, daß es genügte, dich sanft zu nennen, um dich von mir zu verdrängen ...

Und dies ist nicht der einzige Fall, in dem mir Lea die Bedeutung der Dinge vorschreibt. Betrachte ich zum Beispiel eine Reproduktion des Bildes ›Departure‹, das von dem kanadischen Maler Alex Colville stammt und mir natürlich besonders nahegeht, seitdem Lea verschwunden ist, so glaube ich ohne jeden einschränkenden Zweifel, daß die Frau, die dort in der einsamen Telefonzelle am leeren Quai steht, mit ihrem Geliebten auf dem Schiff, das man schon in einiger Entfernung abfahren sieht, telefoniert. Ich denke mir nämlich, die beiden haben beim Abschiednehmen kein Ende finden können und werden nun solange miteinander telefonieren, bis das Schiff nicht mehr zu sehen ist oder die Verbindung wegen allzu großer Entfernung abreißt. Nur diese Deutung eines endlos verzögerten Abschiednehmens lasse ich zu – obwohl sie aus verschiedenen Gründen reichlich unwahrscheinlich ist (zum Beispiel ist es ein Frachtschiff, das da ausfährt, man wird es nicht so ohne weiteres aus einer Telefonzelle anwählen können ...). Aber nur dies innige Versehen erregt mein Mitgefühl, es läßt Lea und mich auf dem Bild vorkommen, und das Bild selbst, weil es sich nicht rührt, verspricht das ersehnte Halt inmitten einer Trennung, in einem unvergänglichen Augenblick zwischen Noch-Nicht-Verlassensein und endgültiger Abkehr ...

Während ich neben Lea schlief, träumte ich von

ihr; ich träumte nicht mehr als das, was war: daß sie nämlich über meinen Schlaf wache ... Was tun meine Hände im Schlaf, Lea? Ballen sie sich zur Faust? Dann, bitte, öffne sie. Oder krallen sie sich gar ins Laken? Bitte, laß es nicht zu. Ich möchte, daß sie offen und erschöpft neben mir liegen, in dieser trägen Mittagsruhe ... Schlucke ich nicht viel zu oft? Aber was frage ich denn, den aufgesperrten Mund ins Kissen gedrückt, sie kann es nicht verstehen. Meine Stimme hüllt sich um jedes Wort, und so klingt es nach nichts, wenn ich spreche.

Als ich Lea zum letzten Mal in ihrer vollständigen Gestalt wahrnahm, griff sie mit einer brennenden Zigarette zwischen den Fingern in den Kühlschrank und holte einen Becher Früchtejoghurt hervor. Von diesem Augenblick an, der wie die Durchbrechung eines Naturgesetzes in mich eindrang, verlor sie an Sichtbarkeit von Stunde zu Stunde. Zu jener Zeit hatte ich über dem unablässigen Schreiben jede Kraft verloren, die zahlreichen Anzeichen des Ungesunden, die ich an mir feststellen mußte, zu einer deutlichen Krankheit zu organisieren. Ich sehnte mich geradezu nach der ausschlaggebenden Verletzung, die das wimmelnde Ungeziefer der Symptome in eine klinische Ordnung verwandeln würde. Leas Griff in den Kühlschrank: die siebenhundert Grad Hitze der Zigarettenglut und die achtzehn Grad Kälte des Eisschranks, die beiden extremen Temperaturen nebeneinander, in unmittelbarer Berührung, waren in meiner Vorstellung plötzlich nicht mehr auszuhalten. Es war der Anblick einer längst verschollenen Furcht, einer Unbegreiflichkeit aus der Vorgeschichte des zivilisierten Denkens, einer wilden Empfindung, der mich erschütterte und blendete. Und doch bin ich fest davon überzeugt, daß nicht mit mir von nun an die größte Veränderung vor sich ging, sondern vielmehr mit Lea selbst. Ihre stetig abnehmende Erscheinung fand nicht in mir und einem gestörten oder nachlassenden Sehvermögen ihre Ursache. Denn alles um mich herum, in meiner Wohnung, die Buchrükken in den Regalen wie die Bestecke auf dem Tisch und draußen in der Ferne die Birken, das alles konnte ich in unverminderter Schärfe erkennen. Nur Lea nicht, sie wurde mir immer unkenntlicher, ein schiefes, dunkles Körperfragment mit zerklüfteten Umrissen, als seien Abermillionen von Schattenbakterien über sie hergefallen und fräßen sie allmählich aus meinem Blick heraus. Und sie selber schien davon nichts zu spüren. Man könnte sagen, sie tat nichts mehr als einfach stillezuhalten wie ein Stern, der sein Erkalten hinnimmt, ohne sich von der Stelle zu bewegen.

Sie hatte mir vorgeschlagen, sich besonders ruhig zu verhalten, während ich über sie schrieb, damit nicht immer neue Eindrücke und Impulse von ihr mich ereilten, mit denen mein schwerfälliges Schreiben nicht hätte Schritt halten können. Und es mag sein, daß in der Reibung dieser vollkommen gegensätzlichen Zeitgeschichten, ihrer Gegenwartserstarrung und meines voranschreitenden Erinnerns, jener tödlich gemischte Dunst entstand, in dem Lea bei lebendigem Leib verwitterte und zerfiel. Das Letzte, was ich von ihr sah, waren zwei Fingerspitzen, die einen Haufen toter Fliegen auf ein Butterbrot streuten.

Die Scheibe Brot verschwand irgendwohin, in ein unsichtbares Mundloch, und es war gräßlich genug, sich vorstellen zu müssen, daß Lea so etwas Ekelhaftes aß! Ich glaube, den Verlust ihrer Sichtbarkeit begleitete ein Prozeß der Verwahrlosung und Zerstörung ihrer Selbstkontrolle. Nachdem ich sie schon mehrere Tage nicht mehr gesehen hatte, geschah es noch ein-, zweimal, daß ich auf der Toilette ihren liegengebliebenen Kot vorfand, weil sie offenbar vergessen hatte, die Wasserspülung zu ziehen. Dann, noch einmal, am frühen Morgen, kurz vor dem Erwachen, hörte ich, wie auf meinem Gesicht ein Fingernagel entlangstrich. Auf meiner hellhörigen, ausgetrockneten Haut vernahm ich das kratzende Geräusch des Schreibens – Leas Abschiedsworte, dachte ich und schlief vor Kummer wieder ein.

Danach kein Laut, keine Berührung, keine Ansicht mehr von ihr, nichts. Nichts – außer diesem Geruch eines italienischen Quittenparfums, das sie sich jeden Morgen hinter die Ohrläppchen tupfte. Dieser täglich frische Duft blieb das einzige und letzte Indiz für Leas unablässige Anwesenheit, und seine Quelle befand sich in einer so unmittelbaren, bisher nie empfundenen Nähe, daß ich mir einbildete, Lea habe vielleicht nur deshalb ihre Körpergestalt aufgegeben, um auch diese letzte Entfernung noch, die zwischen unseren Körpern, zu überwinden und zu beseitigen.

Und doch fühlte ich mich in dieser neuen Nähe, die fast einer Durchdringung gleichkam, nicht recht wohl, nein, ich fand sie sehr bald ganz unerträglich. Sie behinderte meine Arbeit. Sie unterband die Ausflüge meiner Erinnerung, denn dieser starke Geruch schuf eine unausweichliche, betäubende Gegenwart, die mir das Weiterschreiben schließlich unmöglich machte. Ich ersuchte Lea, in laut ausgesprochenen Worten, sich wieder ein wenig von mir zu entfernen. Natürlich bekam ich keine Antwort, und meine Bitte wurde auch nicht stillschweigend erfüllt. Ich litt nun an fürchterlichen Kopfschmerzen, Schwindelanfällen, Brechreiz und, was das schlimmste war, an einem qualvollen Verlangen nach einem fremden Körper, nach Körperberührungen, Körperumklammerungen, Körperkämpfen. Ein mich vollkommen überforderndes Begehren, so daß mir die Gedanken im Kopf herumstoben wie der Funkenregen einer frisch geschürten Glut. Ich räumte meine Papiere zusammen, die beschriebenen und die leeren, steckte sie in Leas Umhängetasche und lief damit aus dem Haus. Ich fuhr mit dem Bus nach F. und dann mit der Bahn hinaus zum Flughafen. Dort erst faßte ich den Plan, nach Kopenhagen zu fliegen, um S. zu treffen. Ich könnte mit ihr »unser Werk« besprechen ... Ich hatte plötzlich ein großes Bedürfnis, sie zu sehen, sie zu umarmen.

In der Ankunftshalle traf ich meinen Freund Dr. W., der mich mit einer oberflächlichen Freundlichkeit begrüßte, als seien wir nur flüchtig miteinander bekannt. Er fragte, ob mit mir alles in Ordnung sei. Und ich erschrak so sehr über seine unvertraute Art, daß ich nur mit einem schwachen »Ja« antworten konnte, obschon ich doch mancherlei mit ihm hätte besprechen müssen. Und dann sagte er, sich in Eile von mir lösend: »Grüßen Sie mir den guten –!« ... Es war mein Name, den er nannte, mein Name!

Als ob ich nicht leibhaftig vor ihm gestanden

hätte ... Wen sollte ich grüßen? Wen? Mich selbst?

Ich hatte keine Gelegenheit, ihn um eine Erklärung zu bitten, er mußte jemanden abholen und war nicht aufzuhalten. Entweder hatte er sich einen dämlichen Psychiater-Scherz mit mir erlaubt, oder ich war aufgrund meiner überreizten und gleichzeitig immer noch von Quittenparfum benebelten Auffassungsgabe nicht in der Lage, die hastige Szene richtig zu deuten. Ja, ich war jetzt derart aufgeregt, daß ich mich danach sehnte, im nächsten Augenblick hier, inmitten der Menschenmenge, die sich viel zu gehetzt bewegte, erschöpft zusammenzubrechen.

Ich möchte Gesten der Erschöpfung sehen, ich kann diese skrupellose Geschwindigkeit um mich herum nicht mehr aushalten. Ich wünschte, diese Halle würde sich plötzlich in einen Ort der Gefangenschaft, des gewaltsamen Gewahrsams verwandeln, so daß diese flinken Leute nach kurzer Zeit zu Körperhaltungen des aussichtslosen Zeitvergehens finden, Gesten, hingegeben an die Auflösung aller tätigen Bewegung, die Stirn gebeugt, schwankend, absinkend ...

Während des Flugs nach Kopenhagen wurde mir sehr, sehr übel. Die Beunruhigung über das rätselhafte Verhalten von Dr. W., der immer schmerzhafter zustechende Quittengestank und obendrein noch viele tiefe Luftlöcher ließen meine Magennerven zucken wie unter Stromstößen. Es lief mir aus allen Speicheldrüsen das Wasser im Mund zusammen – eine Redensart, die auf den Zustand der Übelkeit viel besser zutrifft als auf den Appetit. Ich mußte ununterbrochen schlucken und hielt mein Schlucken für die letzte Bastion gegen das bevorstehende Erbrechen. Ich zog mein Ticket aus der Manteltasche und las die Vertragsbedingungen meines Transports, um mich auf irgendetwas zu konzentrieren. Dabei fiel mein Blick auf den Rückflugschein, und ich sah, daß dort vor meinem Namen die Bezeichnung »Mrs.« eingetragen war.

Alles in mir erstarrte, so daß auch der Ansturm des Erbrechens für wenige Sekunden haltmachte ... Es muß wohl etwas schiefgegangen sein mit dir, und du hast es gar nicht recht mitbekommen ... Irgendwer lachte über mich. Ich konnte nichts mehr auseinanderhalten in meinem Kopf. Ich sprang auf von meinem Sitz, lief torkelnd zur Toilette und erbrach.

Als ich mich wieder aufgerichtet hatte, sah ich mich mit einer mir unbekannten Klarheit und ohne jede Angst im Spiegel ...

Ja, es war ihre Frisur, ihre Art, die Haare über den Schläfen hochzustecken, es war auch ihr Make-up, die dunkelgrünen Lidschatten, die clownhaft breit geschminkten Lippen; und ich trug ihr zerschlissenes Chiffonkleid unter dem Mantel. Was ich mir immer gewünscht hatte, brauchte ich nun nicht länger zu suchen. Ich war Lea. Oder zumindest: ich hatte mir alles, was von Lea übrig geblieben war, zueigen gemacht. Es ist mir unmöglich, zu sagen, ob dies das Ergebnis einer langewährenden Verehrung oder ob es ein gemeiner Raubmord war.

Ich ging ziemlich beruhigt zurück zu meinem Platz und freute mich jetzt sehr auf ein Wiedersehen mit S. in Kopenhagen.

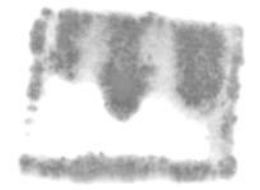

Die ›neue reihe‹ für die neue Literatu

Barbara Frischmuth:
Das Verschwinden
des Schattens in der
Sonne
Roman

dtv
neue reihe

Botho Strauß:
Die Widmung
Eine Erzählung
dtv 6300

Christa Reinig:
Die Prüfung des Lächlers
Gesammelte Gedichte
dtv 6301

Barbara Frischmuth:
Das Verschwinden des
Schattens in der Sonne
Roman
dtv 6302

Helga Schütz:
Mädchenrätsel
Roman
dtv 6303

Jutta Schutting:
Sistiana
Erzählungen
dtv 6304

Udo Steinke:
Ich kannte Talmann
Erzählungen
dtv 6305

H. C. Artmann:
Die Jagd nach Dr. U.
oder Ein einsamer
Spiegel, in dem sich der
Tag reflektiert
dtv 6306

Gabriele Wohmann:
Ich weiß das auch nicht
besser
Gedichte
dtv 6307

Paul Kersten:
Der alltägliche Tod
meines Vaters
Erzählung
dtv 6308

Botho Strauß:
Trilogie
des Wiedersehens
Theaterstück
Groß und klein · Szene
dtv 6309

Günter Kunert:
Ein englisches Tagebu
dtv 6310